D0505619

Dos, gwyn dy fyd,
draw i ryddid dy orwelion,
Cwsg, ond gwranda hyn,
dal yn dynn yn dy freuddwydion.

HWT

Argraffiad cyntaf: Tachwedd 1990

Dymuna'r cyhoeddwyr ddiolch i Adran Olygyddol y Cyngor Llyfrau Cymraeg am eu cymorth.

Rhif Llyfr Safonol Rhyngwladol: 0 86243 229 4

Lluniau a'r clawr: Iwan Bala
Clawr ôl: Robat Gruffudd

Argraffwyd a chyhoeddwyd yng Nghymru
gan Y Lolfa Cyf., Talybont, Ceredigion SY24 5HE;
ffôn (0970 86) 304, ffacs, 782.

CYW DÔL

Twm Miall

Lluniau: Iwan Bala

1

Roedd 'na Sgotyn yn bytheirio wrth gowntar yr offis dôl. 'Here,' medda fo, 'take these and tell Harold Wilson to shove them right up his arse hole. I'm goin' back to Glasgo'.'

Mi fuo bron i minna neud yr un peth. Ro'n i wedi bod yn sefyllian yn y ciw am hannar awr, a rŵan roedd 'na ryw sguthan ifanc efo trwyn fel Concord yn deud wrtha i nad oeddan nhw ddim wedi cael fy records i, ac na fysa 'na unrhyw siawns o gael pres am o leia wythnos.

Ro'n i wedi bod yng Nghaerdydd am dridia, ac roedd pob dim wedi mynd o chwith. Roedd Mal Jones—boi o adra oedd yn stiwdant yng Nghaerdydd, i fod i ddŵad i fy nghyfarfod i i'r steshion, ond ddaeth y sbrych ddim. Ro'n i'n lwcus fod 'na ryw foi i mewn yn un o'r fflatia am ddeg o'r gloch ar nos Sadwrn. Mi agorodd hwnnw'r drws ffrynt i mi, ond mi fuo'n rhaid i mi falu drws fflat Mal Jones. Chwara teg i'r boi, mi roddodd o oriad drws ffrynt sbâr i mi, ac mi sbariodd hynny i mi orfod aros i mewn drwy'r dydd, 'run fath â Bwdist mŷnc. Ro'n i am waed Mal Jones.

Ar ôl gadael y lle dôl, mi es i am beint i bŷb mawr ynghanol y dre. Doeddwn i ddim ond wedi yfad chwartar y peint pan gafodd ryw foi oedd yn sefyll wrth fy ochor i yn y bar homar o glec gan ryw foi arall, nes roedd y gwaed yn stillio allan o'i drwyn o.

'Goin' to do anything about it, pal?' medda'r boi oedd wedi plannu'r swadan.

'No,' medda fi, cyn rhoi traed arni. Mam bach, roedd hogia Caerdydd yn waeth na hogia Blaena.

2

Roedd 'na olwg y diawl ar fflat Mal Jones. Roedd hogia'r cownsul yn cadw gwell trefn ar y doman loca' bôrd adra. Roedd 'na hen boteli llefrith budron, drewllyd yno, a rhyw hen nialwch ym mhob twll a chornal. Mi driais i glirio ryw chydig ar ôl dŵad yn ôl o'r dre, ond doedd genna i fawr o fynadd.

Roedd 'na docyn o lyfra ar y bwrdd: *Mechanism of Microbial... The Biology of Animal Viruses... Molecular Biology of the Gene... Archives of Internal Medicine...* Ych a fi. Roedd yr hen ddynas wastad yn deud mai hen hogyn rhyfadd oedd o. Mi roddais i fatshian ar y tân nwy, a setlo o'i flaen o efo'r llyfr ro'n i wedi ei gael yn bresant gan fy Yncl Dic cyn cychwyn am Gaerdydd—*The Autobiography of a Super-Tramp* gan W.H.Davies. '... life was very irksome to me at this period, being led to chapel morning and evening on Sundays; and led back; having the mortification of seeing other boys of the same age enjoying their liberty... ' Amen, 'rhen gradur.

Fel yna'n union oedd hi efo fi, hefyd—gorfod pasio'r bŷs shelter yn fy nillad gora ar nos Sul braf, a phawb yn chwerthin.

'... the old people now began to take a pride in me... ' Dowt gen i a welwn i'r diwrnod hwnnw. Doeddwn i ddim wedi cael dim byd ond helynt efo nhw er pan oeddwn i'n ddim o beth. Roedd y diawlad yn mynnu tynnu'n groes rownd y rîl, ac roeddan nhw'n cega arna i byth a beunydd; roedd tŷ ni wedi bod fel 'war zone' ers misoedd. Achos yr holl helynt oedd y ffaith eu bod nhw'n fy ngyrru i rywle i chwilio am job bob yn ail ddiwrnod. Doeddwn i ddim isio job yn y twll lle yna. Ro'n i isio mynd i ffwrdd i weld dipyn ar yr hen fyd 'ma, 'run fath ag yr oedd Yncl Dic wedi ei neud pan oedd o ar y môr. Wedi wythnosa o bledio'n daer, mi ddaru nhw gytuno, a hynny wysg eu tina, i adael i mi ddŵad i Gaerdydd i chwilio am job. Ond doedd y man gwyn fan draw ddim cweit mor wyn ag yr oeddwn i wedi breuddwydio y bysa fo.

3

Tua saith o'r gloch y noson honno, mi glywais i sŵn traed yn dŵad i fyny'r grisia. Mi stopiodd y sŵn yn ymyl y drws. Wedyn, mi neidiodd Mal Jones i mewn i'r stafell, cystal â'r un acrobat efo ffeiar-wyrc i fyny ei dwll tin. Roedd o'n chwifio ei freichia, ac yn gweiddi: 'Right, what the hell's going on? Y. . . o. . . chdi sy' 'na,' medda fo pan welodd o fi'n ista wrth y tân.

'Ia,' medda fi, 'Pwy oedda chdi'n feddwl oedd yma? Coch Bach y Bala?'

'Pwy?'

'Coch Bach y Bala—Jac Llanfor. Y boi 'na oedd yn dwyn. . . o, dydi o ddim o bwys, Mal Jones.'

Mi bwyntiodd o at y drws: 'Be' ffwc wy' ti 'di neud i'r drws 'ma?' medda fo. 'Ma' hannar y ffycin ffrâm yn mising.'

Mi godais i ar fy nhraed. Ro'n i awydd ei roi o yn erbyn y wal a'i dagu fo. 'Be' ddiawl wy' ti'n feddwl ydw i?' medda fi, 'Poltyrgeisd? A lle ddiawl oedda chdi nos Sadwrn? Dwi 'di bod yn gori yn y blydi dymp yma am dridia.'

Doedd o ddim yn cymryd unrhyw sylw ohona i. Roedd o'n dal i stydio'r drws. 'Ma' Razzaq y land-lord yn bownd o neud ei nyt am hyn,' medda fo. 'Jesd drycha ar y blydi llanast 'ma.'

Mi gerddais i ato fo. 'Gymri di lempan, Mal Jones?' medda fi.

'Be'?'

'Os na gaei di dy geg am y blydi drws 'na, mi gei di'r ffashiwn datshian genna i nes fyddi di'n gweld dy nain yn hogan fach.'

Mi galliodd o ryw chydig, wedyn. Ond cyn iddo fo ista ar ei din ar y gadair mi droiodd o'r nobyn ar y tân nes prin fod rhywun yn medru gweld y fflama, heb sôn am eu teimlo nhw.

Roedd Mal Jones wedi magu bol ac wedi tyfu rhyw rimyn o fwstash bach o dan ei drwyn. Roedd o'n debycach i gyw twrna nag i rywun sy'n dysgu sut i fela efo cyrff. 'Dwi'n sori,' medda fo. 'O'n i efo Linda; o'n i 'di colli dy lythyr di; do'n i'm yn meddwl y basa chdi'n dŵad. Ti'n gwbod fel ma' hi. Dwi 'di bod yn brysur uffernol yfyd, 'sdi.'

Doeddwn i rioed wedi bod yn cîn iawn ar Mal Jones. Roedd 'na griw ohonon ni wedi dŵad i lawr unwaith i weld cyngerdd Led Zep, ac roeddan ni wedi bod yn aros yn ei fflat o pan oedd o'n byw yn Richmond Road. Roeddan ni wedi cael uffar o amsar da, ac ro'n i wedi cymryd ffansi at Gaerdydd amsar hynny. Pan gytunodd yr hen bobol i adael i mi fynd i ffwrdd, mi feddyliais i'n syth bin y bysa Caerdydd yn fy siwtio i i'r dim, ac mi yrrais i lythyr at Mal Jones a threfnu petha fel 'mod i'n cael aros yn ei fflat o nes fyddwn i wedi ffeindio lle bach i mi fy hun. Doeddwn i ddim yn coelio'r un gair roedd y penci yn ei ddeud wrtha i rŵan. Ro'n i'n gwbod ei fod o'n palu clwydda. 'Wel, welcým i Gaerdydd, 'rhen Bledd,' medda'r clown gwirion, a tharo ei ddwylo ar ei benglinia. 'Tyd, tyd, mi a' i â chdi am beint bach.'

Roedd o'n sbio ar y drws unwaith eto tra o'n i'n gwisgo fy nghôt.

'Fedri di drwsio hwn?' medda fo.

'Na fedra,' medda fi.

'O, tyd 'ta.'

Mi ddechreuodd o chwibianu a chwara efo pres yn ei boced wrth iddo fo gerdded i lawr y grisia. Mi bwyntiodd o at ddrws yn y lobi, a gofyn i mi, 'Wy' ti 'di gweld y gochan 'ma sy'n byw yn fan hyn?'

'Naddo,' medda fi.

'Peth reit handi 'sdi, o Colwyn Bay.'

'O?'

Roedd 'na Riley Elf bach wedi ei barcio o flaen y tŷ. Mi gerddodd Mal Jones rownd at ddrws y gyrrwr.

'Dy gar di 'di hwn?' medda fi.

'Naci, car Linda 'di o,' medda fo. 'Diffodd y sigarét 'na cyn i chdi ddŵad i mewn. Ma' ogla ffags yn gneud Linda'n sâl.'

Mi bwysodd o'i ben reit i lawr at y dashbord wrth roi'r goriad yn yr ignishion, a throi ei glust i wrando ar rywbeth cyn tanio. Mae 'na lot o ddreifars yn gneud hynny, am ryw reswm neu'i gilydd, ond dwn i ddim pam.

'Ma'n siŵr y basa chdi'n licio mynd i'r New Ely,' medda fo.

'Baswn,' medda fi.

Ro'n i wedi bod yn y New Ely pan ddaethon ni i lawr i weld Led Zep. Roeddan ni wedi cael hwyl amsar hynny. Roedd y lle'n llawn joc a phawb yn canu.

Oni bai 'mod i wedi gweld yr arwydd ar y wal, mi fyswn i wedi taeru 'mod i mewn rhyw bỳb arall, achos roedd y lle'n wag heblaw am ryw ddau neu dri o hogia oedd yn chwara cardia wrth fwrdd yn ymyl y bar.

'Ma' hi'n dawal ar y diawl yma, Mal Jôs,' medda fi, tra oedd o'n codi peint bob un i ni.

'Fel hyn ma' hi tan tua hannar awr 'di naw, 'sdi. Twll o le ydi o, a deud y gwir.' Mi aethon ni i ista wrth un o'r byrdda. 'Dwi'm yn dŵad yma ryw lawar rŵan, 'sdi. Ma' Linda'n byw yn Broadway. Dydi hi ddim yn siarad Cymraeg, so does 'na ddim llawar o bwynt iddi hi ddŵad i fan hyn. Dwi'm yn meddwl 'mod i'n colli dim byd. Dwi'n byw efo Linda fwy neu lai rŵan, 'sdi.'

Roedd o i'w weld yn uffernol o falch.

'O?'

'Yndw. Ma' Linda yn grêt o hogan.'

Roedd 'na ddau neu dri o lunia ar y walia. Roedd 'na un llun o ddyn bach efo sbecdol nashonal helth a gwên radlon ar ei wyneb o, a llun arall o ddyn bach efo golwg arno fo fel tasa fo wedi bod yn bwyta gwellt ei wely ers blynyddoedd.

'Pwy 'di rhein yn y llunia 'ma, Mal Jôs?' medda fi.

'Dwn i'm,' medda fo, 'ond ma' nhw'n bownd Dduw o fod yn Welsh Nash, pwy bynnag ydyn nhw.'

'Be', dw' ti ddim yn Blaid Cymru, 'lly?'

'Wel, yndw, go lew 'de, ond ddim yn Blaid Cymru uffernol, 'run fath â rhai o'r rhein sy'n yfad yn fan hyn.'

'Wy' ti 'di colli dy wreiddia, Mal Jôs?' medda fi.

'Be'?' medda fo, a sbio'n hurt arna i, yn union fel taswn i wedi gofyn iddo fo oedd o wedi bod yn ffureta ar y lleuad yn ddiweddar.

'Dim byd,' medda fi.

Roedd o'n sbio ar ei wats bob munud, ac yn symud ei din ar y gadair.

''Sgen ti hanas job yn Gaerdydd 'ma?' medda fo.

'Nagoes.'

'Wy' ti'n mynd i chwilio am un, 'ta?'

'Dwn i'm. Ga' i weld be ddigwyddith.'

'Iesu, ti'n gês.'
'Be' wy' ti'n feddwl?' medda fi.
'Wel. . . y. . . ti'n gwbod, jesd. . . y. . . ' Mi gododd o ar ei draed yn sydyn. 'Gwranda,' medda fo, 'ma'n rhaid i mi fynd rŵan. Dwi 'di gaddo mynd â têc-awê adra i Linda. Gei di aros yn y fflat mor hir ag y leci di. Fydd dim rhaid i chdi dalu. Ym. . . mi wna i ffonio Razzaq a deud wrtho fo am yrru rhywun rownd i drwsio'r drws. Ddo i heibio chdi ryw noson. Awn ni allan am beint i rwla. Gawn ni uffar o noson dda. O.K.?'
'O.K., Mal Jôs.'
Mi gerddodd o at y drws. Wedyn, mi ddaeth o yn ei ôl a rhoi papur punt ar y bwrdd. 'Ti'm yn meindio bo' fi'n gorfod mynd, nag wyt?'
'Nac'dw, Mal Jôs.'
'Pryna beint neu ddau i chdi dy hun efo hwn. Wela i chdi nos Sadwrn w'rach. Grêt dy weld di, 'rhen Bledd. Hwyl rŵan.'
'Hwyl, Jiwdas.'
'Be'?'
'Hwyl, Mal Jôs.'

Doedd o ddim wedi holi ynghylch yr hogia, dim am Sei, na Banjo, na Milc Shêc, na neb arall. Mi fydda'n rhaid i mi ffeindio lle i mi fy hun. Doeddwn i ddim isio bod mewn dyled i ryw dwat fel fo.
Mi brynais i ddau beint arall efo pres Mal Jones. Roedd 'na griwia'n dŵad i mewn bob yn hyn a hyn, ond pasio heibio ddaru bob un ohonyn nhw heb ddweud pwmp o'u penna. Ro'n i'n teimlo'n rhyfadd yn ista ar fy mhen fy hun bach mewn pỳb yng Nghaerdydd, lle'r oedd pawb yn siarad Cymraeg. Ro'n i'n teimlo y dylwn i fod yn eu nabod nhw i gyd rywsut, ac y dylan nhwtha fy nabod inna hefyd, jesd am ein bod ni'n siarad yr un iaith. Faswn i ddim

wedi meindio cael sgwrs fach efo rhywun, ond doeddwn i ddim yn mynd i grafu tin neb, na mynd ar fy nglinia chwaith. Mi ddechreuais i chwysu. Wedyn, mi es i o'no.

Doeddwn i ddim yn gwybod lle ddiawl oeddwn i pan es i allan i'r stryd. Roedd 'na siop jips dros y ffordd a dynas Tsienîs y tu ôl i'r cowntar. Mi brynais i bacad o jips a rissole, a gofyn iddi hi lle'r oedd Glyn Rhondda Street. Roedd ei Saesneg hi cyn waethed â f'un i, ond mi ddeallais i ei fod o jesd rownd y gornal. Ro'n i'n teimlo'n rêal pen dafad.

Doedd 'na ddim gola o dan ddrws y gochan. Mi roddais i gwpwrdd yn erbyn y drws, a mynd i 'ngwely efo'r Super-Tramp.

4

Roedd 'na gaffi bach rownd y gornal lle'r oeddan nhw'n gneud pryda rhad. Roedd hi'n haws bwyta yn y fan honno na gorfod mynd i siopa a rhyw lol felly, a gneud bwyd yn y fflat. Ro'n i wedi penderfynu y byswn i'n cael holide bach am o leia bythefnos, a doeddwn i ddim yn mynd i drafferthu i chwilio am job a ballu. Dydi pobol ddim yn gweithio pan maen nhw ar eu holides, a dydyn nhw ddim yn gneud bwyd chwaith.

Ro'n i ar fy ffordd yn ôl o'r caffi un amsar cinio pan welais i ddyn mewn ofyrôls yn cnocio ar ddrws y tŷ. Roedd o'n siarad efo fo'i hun ac yn diawlio.

'Do you live here?' medda fo wrtha i.

'Ies,' medda fi.

'I've got a job to do,' medda fo, a thynnu darn o bapur allan o fib ei ofyrôls. 'Hold on now. . . one length of door frame, one new lock. Know anything about it?'

'Ies,' medda fi, 'it's mai ffrend's fflat. Ai'l shô iw.'

Mi wisgodd o'i sbecdol, a stydio'r drws. Roedd o'n dal i siarad efo fo'i hun, a chwyno'i fod o'n gorfod gneud jobsys cachu drwy'r amser. 'I likes the big jobs, I do,' medda fo. 'I 'ates pissing around like this.'

Mi ddiflannodd o i lawr staer, a dŵad yn ei ôl efo darn o bren gwyn, glân. Tra oedd o wrthi'n paratoi ei dŵls, mi afaelais i yn y darn pren a dechra ei ogleuo fo; ro'n i wrth fy modd efo'r ogla. Mi sbiodd o'n amheus arna i, a chymryd rhyw gam neu ddau yn ôl.

'Wd iw leic e cyp of tî?' medda fi.

'Are you a student?' medda fo.

'No,' medda fi.

'O.K. then, I'll 'ave one. Two sugars and a drop of milk.'

Mae'n rhaid fod y banad wedi plesio, achos mi ddechreuodd o siarad fel melin malu metlin, a deud jôcs. Doeddwn i ddim yn deall y jôcs, ond roedd o'n cael modd i fyw, ac yn gweryru chwerthin.

'Heard the one about the bloke who goes to the shop to buy a loaf of bread?' medda fo.

'No,' medda fi.

'There's this bloke, right, who goes to the shop and asks the girl behind the counter for a loaf of white bread. "Sorry," says the girl, "but we've only got brown." "That's all right," said the bloke, "I've got the bike outside." Ha ha, ha ha ha ha ha!'

Mi es i ista yn fy nghadair, agor fy llyfr, a thrio peidio cymryd sylw o'r diawl gwirion.

'You're not a Cardiffian, are you,' medda fo. Roedd ganddo fo ddwy neu dair o hoelion rhwng ei ddannedd ac roedd o'n chwibianu siarad drwyddyn nhw. 'No,' medda fi. 'North Welian.'

'Must come as a bit of a shock to you then—moving from a cold cave in the mountains and into a nice place like this. Ha ha ha! A friend of mine worked up there for a while once, round C'navon somewhere. Couldn't understand a word they were saying. They were all going on in Welsh. He walks into this pub and they're all speaking English but, once he orders his pint, like, they all turns to Welsh.

Did his head in, that did. He gets hold of his pint and throws it over the bar. ''Fuck you,'' he says, ''you ignorant bunch of bastards.'' That's not right, that isn't; not him throwin' the glass, like, but them talkin' Welsh. It's unsociable. I learnt a bit of Welsh in school, like, ''bore da, nos da,'' and all that.'

Gobeithio y llynci di'r hoelion 'na a thagu arnyn nhw'r cwdyn, medda fi wrtha fi'n hun.

Fuodd o ddim wrthi'n hir, diolch i Dduw. Roedd ganddo fo un cyngor i mi wrth roi'r goriada newydd yn fy llaw. 'Never marry a woman with big hands,' medda fo.

'Whai?' medda fi.

''Cause they'll make your prick look small. Ha ha ha!'

Ro'n i'n teimlo'n saffach ar ôl cael clo newydd. Mi gloiais i'r drws wedi iddo fo fynd. Yna mi es i i 'ngwely a dechra hel meddylia am ddynas efo dwylo mawr.

5

Ddaeth Mal Jones ddim i 'ngweld i. Doeddwn i ddim yn disgwyl i'r diawl ddŵad.

Doedd pobol y dôl byth wedi cael fy records i. Mi gawson nhw records rhyw Bleddyn Williams, ond nid y fi oedd hwnnw. Ro'n i wedi laru ar gerdded i'r twll lle rownd y rîl, felly mi ofynnais i i ryw ddynas un diwrnod a fysa hi'n meindio gyrru llythyr i mi unwaith y bysa'r records wedi cyrraedd, er mwyn sbario i mi gerdded yno bob dydd. Mi fuo bron i'w llygaid hi neidio allan o'i phen hi. 'Who do you think you are?' medda hi. 'The crown prince? Since you've obviously got little else to do, the least you can do is to come here every morning to inquire about your records. Why don't you find a job? You wouldn't even have to come here then. Have you looked at the board? Go over to the board now and see if you can find anything.'

Mi gerddais i draw at y wal, ond roedd 'na gymaint o hen gardia bach arno fo nes roedd y blydi petha'n fy ngneud i'n chwil wrth sbio arnyn nhw. Mi droiais i rownd i weld a oedd hi'n dal i fod yno. Oedd, roedd y bitsh wedi plethu ei breichia ac yn pwyso ar y cowntar.

Mi dynnais i ddarn o bapur a phensal allan o 'mhocad, a smalio 'mod i'n sgwennu rhywbeth. Wedi sgwennu rhyw rwtsh ar y papur, mi nodiais i arni hi, cystal â deud fod pob dim yn iawn. Mi gychwynnais i am y drws, ond mi ddechreuodd hi ysgwyd ei braich a 'ngalw i'n ôl ati hi.

'What have you found, Mr Williams?' medda hi.

'Y. . . ym. . . it's e. . . ym. . . '

'Let me see it. I'll phone them up and arrange an interview for you.'

'Y. . . no. No no, don't boddyr. . . Y. . . no point ffôning now. . . y. . . it's e job in e bêcyri, ies, in e bêcyri. Ddy bêcyr wil bi in bed now, don't want tw distyrb him in his slîp. Becyrs get yp feri ÿrli and go tw bed dinyr teim.'

'Don't talk so wet,' medda'r ddrychiolaeth. 'Here, let me see it.'

Wel ffor ffyc sêc. Be' ddiawl oeddwn i'n mynd i' neud rŵan? 'Y. . . Duw, what's ddy matyr widd mi? Ai'f pwt ddy rong wan down.'

Mi gerddais i'n ôl at y wal, a dechra sbio unwaith eto. Blydi hel ro'n i'n chwysu. Doeddwn i ddim isio job. Ro'n i ar fy holides am wythnos arall. Ro'n i'n dal i droi rownd bob yn hyn a hyn, ac roedd hitha'n dal i sbio arna i efo llygaid barcud. Ro'n i'n cael y teimlad ei bod hi'n mynd i ddŵad rownd ata i unrhyw funud. Mi welais i hi'n cychwyn am y drws y tu ôl i'r cowntar. Unwaith roedd hi wedi agor hwnnw mi heglais i allan. Prin ei bod hi wedi gweld lliw fy nhin i'n mynd allan drwy'r drws.

6

Un pnawn, ar ôl deffro, mi ges i flys mawr am dun o Nestle's Milk—dim y stwff condensd, ond y stwff tew, melys. Felly mi es i i'r siop i brynu un.

Dyna un peth ro'n i'n ei licio am fod yng Nghaerdydd, sef cael llonydd i neud fel fyd a fynnwn i. Ro'n i'n medru mynd am beint unrhyw awr o'r dydd neu'r nos, medru aros yn fy ngwely tan y pnawn, smocio yn fy ngwely, a doeddwn i ddim yn gorfod newid fy sana na golchi 'ngwallt.

Ro'n i wedi bod yn gythral am dunia o Nestle's Milk er pan oeddwn i'n ddim o beth. Ro'n i'n eu dwyn nhw o'r gegin gefn a'u hagor nhw efo cyllall yn llofft. Bob tro y bydda'r hen ddynas yn mynd ati i neud cacan neu fiscets, ro'n i'n ei gweld hi'n agor y cypyrddda ac yn ysgwyd ei phen. Doedd y gryduras ddim yn medru deall i lle'r oedd y tunia'n mynd, nes iddi hi agor drws y wardrob yn fy lloffd i un diwrnod a gweld tua dwsin a hannar o dunia gwag yn rowlio dros ei thraed hi. Welwyd 'run tun yn tŷ ni ar ôl y diwrnod hwnnw, ac mi aeth yr hen ddyn yn reit flin achos roedd o wrth ei fodd efo'r stwff hefyd.

Pan oeddwn i ar fy ffordd yn ôl o'r siop, mi ddois i wyneb yn wyneb â'r gochan wrth waelod y grisia. Roedd hi braidd yn drwm yr olwg, ond roedd ganddi hi wyneb del a gwefusa mawr.

'I don't think we've met before, have we?' medda

hi. Doedd hi ddim yn siarad 'run fath â phobol Colwyn Bay a Rhyl ffor 'na; roedd hon wedi cael dipyn o addysg.

'No,' medda fi.

'Have you moved into Malcolm's flat?'

'No, ai'm jest steiing dder ffor e bit.'

'You're a North Walian as well, are you?'

'Ies.'

'I'm Nerys,' medda hi. 'I'm from Colwyn Bay.'

'O? Feri neis.'

'What's your name?'

'Bleddyn.'

'Bleddyn. That's a good Welsh name. What does it mean?'

'Ai don't nô,' medda fi. Pen sglefr, ia, ddim yn gwybod ystyr ei enw ei hun.

'Baking a cake?' medda hi.

'Ai beg ior pardyn?' medda fi. Mi bwyntiodd hi at y tun yn fy llaw i. 'O! No, no no, jesd ît ddy tun.'

Mi ddechreuodd hi chwerthin. 'What ?' medda hi. 'You're just going to eat it straight out of the tin?'

'Ies ies. It's neis.'

Roedd hi'n gwenu ac yn sbio arna i fel taswn i'n achosi rhyw benbleth mawr iddi hi. Ro'n i'n sefyll yno efo un troed ar un o risia'r staer, ac yn troi'r tun rownd a rownd yn fy nwylo.

'Would you like a cup of coffee?' medda hi.

'Ies plîs. Thanc iw feri mytsh.'

Mi ges i ryw hannar codiad wrth ei dilyn hi i mewn drwy'r drws. Roedd hi'n gwisgo jîns oedd yn dynn am ei thin hi.

Roedd ganddi hi fflat neis iawn—lot neisiach nag un Mal Jones. Un stafell oedd ganddi hi, efo cegin fach yn y cefn. Roedd 'na lot o lunia ar y walia a phob math o ryw drincets bach ar y silffoedd. Ar y llawr, rownd y lle tân, roedd 'na tua hannar dwsin o hen botia piso, a phlanhigion yn tyfu ynddyn nhw. Tydi pobol yn meddwl am bob dim? Roedd ganddi hi wely dwbwl hen ffash, ac roedd 'na dedi a phanda yn gorweddian arno fo. Roedd y lle fel pin mewn papur, ac roedd hi'n olau braf yno.

'Are you working in Cardiff?' medda hi, wedi iddi ddŵad â'r paneidia drwodd a gneud ei hun yn gyfforddus ar y gwely.

'No,' medda fi, 'byt ai sypôs ai'l haf tw go and lwc ffor e job bîffor long.'

'What kind of work do you do?'

'Nything rîli, bit of e jac of ôl trêds. What dŵ iw dŵ?'

'I'm on my last year at the Art College.'

'O? Feri neis.'

Ro'n i'n nyrfys braidd, ac ro'n i'n cael job i feddwl am rywbeth i'w ddeud wrthi hi.

'When are you going to eat it?' medda hi.

'Ît what?' medda fi.

'The Nestle's Milk. I haven't tasted it for years.'

'Ai don't nô,' medda fi. 'Mêbi ddis afftyrnŵn, or mêbi twneit. Y. . . wd iw leic tw haf sym?'

Mi ddechreuodd hi chwerthin. 'Yes please. I'll go and fetch a tin opener.'

Mi aeth hi drwodd i'r gegin a dŵad yn ôl efo'r teclyn a dwy lwy. Mi agorais i'r tun, ac mi eisteddodd hi ar y llawr wrth fy ochor i a chymryd y llwyad gynta. 'This is fun,' medda hi. 'It's delicious.'

Roeddan ni'n cymryd llwyad am yn ail.

'Have you got any other vices apart from eating cans of Nestle's Milk?' Mi roddodd hi ryw edrychiad slei oedd yn secsi iawn, yn secsi iawn iawn iawn.

'Ym. . . y. . . '

'It's O.K. I'm only pulling your leg. You don't

have to tell me. . . but, then again, you can if you want to. Ha ha, hi hi ha!'

Doeddwn i ddim yn siŵr iawn be' oedd 'vice' yn ei olygu, ond ro'n i'n gwybod nad sôn oedd hi am y lwmp metal 'na mae saer yn ei ddefnyddio. Roedd hi'n dal i sbio'n slei, a llyfu cefn ei llwy efo'i thafod.

'I think I've had enough now,' medda hi. 'It's very filling, isn't it?'

'Ies,' medda fi. 'Feri ffiling indîd. Ai'f had inyff tŵ—e beli ffwl ffor e pig, byt inyff ffor e man.'

'What?' medda hi, a dechra chwerthin.

'O, it's jesd symthing wi sê in Welsh leic.'

Roedd hi'n dal i chwerthin, nes sylwodd hi ar wyneb y cloc. 'Oh,' medda hi, 'I'm afraid you'll have to go now. Call again sometime. Thanks for the snack.'

Roedd hi mewn diawl o frys i 'nghael i o'no. Roedd hi'n cydio yn llabed fy nghot ac yn fy nhynnu i gyfeiriad y drws, fel ffarmwr yn twyso tarw.

'Thanc iw,' medda fi. 'Iw cym and si mi symteim.'

'Perhaps I'll do that,' medda hi.

Roedd genna i eiriadur Saesneg yn fy hafyrsac. Roedd Yncl Dic wedi deud wrtha i am fynd ag un efo fi. Mi fyddwn i angen lot o Saesneg yng Nghaerdydd, medda fo. Mi edrychais i o dan 'v'. 'Vicar', naci. . . 'vicarage'. . . 'vicar apostolic', naci. . . 'vicar general'. Arglwydd mawr, o lle oedd yr holl blydi 'vicars' 'ma'n dŵad? 'Vicarious', naci. . . A! Dyma ni: 'vice' 1. 'an immoral, wicked, or evil habit, action or trait'. Blydi hel. . . 2. 'frequent indulgence in immoral or degrading practices'. Y nefoedd wen. . . 3. 'a specific form of pernicious conduct, esp. prostitution or sexual perversion. . .' Mam a mia!

Mi gymerais i lwyad sydyn o'r Nestle's cyn tynnu fy nillad a mynd i 'ngwely am awr fach.

7

Mi ddywedodd 'na foi clên wrtha i mewn pỳb fod genna i hawl i ffônio'r offis dôl a gofyn i'r opyretor neud reverse the charge call. Felly, dyna wnes i am ddiwrnodia—cyn i ryw foi ddeud wrtha i fod fy records i wedi cyrraedd, o'r diwedd. Mi es i draw yno ar f'union.

Roedd hi'n hen ddiwrnod tamp, tywyll, annifyr. Roedd y lle dôl o dan ei sang, a dynion a merchaid yn gweiddi a rhegi'r bobol oedd y tu ôl i'r cowntar. Rhyw le tebyg i hwn ydi uffarn, medda fi wrtha fi'n hun. Ond pam fod pobol yn gorfod byw mewn uffarn ddwy waith trosodd? Dyna oedd y cwestiwn. Iesu, roedd hi'n dipresing yno. Roedd lle dôl adra fel Ysgol Sul i gymharu â'r lle yma.

Mae'n debyg mai'r tywydd oedd wedi eu gyrru nhw yno yn eu heidia y diwrnod hwnnw. Mae 'na lot o bobol yn mynd yn dipresd uffernol os nad ydyn nhw wedi gweld yr haul am ddiwrnod neu ddau, ac mae pob problam fach yn mynd yn broblam fawr pan mae hi'n bwrw glaw.

Ar ôl sefyllian yn y ciw am ddeg munud, mi ddywedodd y boi wrtha i am fynd i'r stafell bella a disgwyl yno nes y bydda rhywun yn gweiddi f'enw i. Sôn am wastio amsar.

Mi es i drwodd i'r stafell ac ista i lawr. Roedd 'na ryw foi wrth f'ymyl i oedd 'run sbit â Huwsyn—un o ffrindia fy Yncl Dic. Ro'n i wedi sylwi, er pan oeddwn i yng Nghaerdydd, 'mod i'n gweld rhywun yn debyg i rywun ro'n i'n ei nabod adra, rownd y rîl. Roedd hwn 'run ffunud â'r hen Huwsyn o ran pryd a gwedd a gwefla. 'Bleddyn Williams. Cubicle number four,' medda rhyw foi ifanc efo beiro yn ei geg a thwr o bapura yn ei law.

Roedd o'n foi digon clên. Ar ôl deud fod yn ddrwg iawn ganddyn nhw am fod mor hir yn cael fy records i, mi ddechreuodd o holi lle roeddwn i'n byw a ballu. Mi ddywedais i wrtho fo. Wedyn, mi edrychodd o ar ryw lyfr, a deud: 'We'll have to assess your situation before we can send you a cheque. But I can tell you now, by looking at this, that the maximum payment we can offer you under your present circumstances won't be more than around seven pounds a week.'

Doedd hynny ddim yn ddigon i fwydo milgi yn y wlad, heb sôn am filgi mewn tre.

'I'm sorry,' medda fo, 'but the thing is, you see, although this person is no relation of yours, under the Health and Social Security Act, you'd be regarded as being under his care since you're not paying him any rent. It's as if you were living at home with your parents.'

In his cêr o ddiawl. Dim ond unwaith ro'n i wedi gweld y sglyfath er pan oeddwn i yma. Pwy ddiawl fysa'n rhoi ei hun yng ngofal rhyw goc oen fel Mal Jones? 'But then, on the other hand,' medda'r boi, 'should you find yourself rented accommodation, then obviously your circumstances would be different. Your allowance would be higher, and we would pay your rent. Should it be an unfurnished flat, then you'd be entitled to an allowance for a stove, a bed, bed linen and so on. If you're thinking of staying in Cardiff, I suggest that you find yourself a flat, Mr Williams.'

Mi roddodd o gardyn i mi a deud wrtha i am ddŵad i seinio ymlaen am ddeg bob bora dydd Iau. Mi fyddai'n rhaid i mi chwilio am fflat rŵan. Ro'n i'n gwybod y bysa honno'n ddiawl o gontract, a doedd genna i fawr o fynadd i'w thaclo hi.

Ro'n i'n teimlo'n reit dipresd wrth gerddad am Glyn Rhondda Street, ac ro'n i'n clywed yr hen gân 'na gen Hogia Llandygái yn mynd rownd a rownd yn fy mhen i: 'Fedrwch chi ddim byw ar bres y dôl, fedrwch chi ddim byw ar bres y dôl, fedrwch chi ddim byw ar bres y dôl, mae hynny'n beth go ffôl. . . ' Ond wedyn mi ddechreuais i chwerthin pan gofiais i am yr hen foi 'na oedd yn gwisgo'r un fath â ffarmwr, ac yn chwibianu pan oeddan nhw'n canu 'Defaid William Morgan'. Roedd hwnnw'n ddiawl o beiriant. Rhai da oedd yr Hogia.

8

Hen gotsan annifyr oedd y ddynas yn y Post yn Salisbury Road. Ro'n i wedi meddwl na fyswn i ddim yn dŵad ar draws neb o'r teip straellyd, busneslyd y tu ôl i gowntar siop na phost yng Nghaerdydd, ond roedd hon isio gwybod a oedd fy ngwadna i'n fudur a fy sodla i'n lân y tro cynta es i yno i godi pres. Ro'n i'n trio trefnu petha fel na fydda'n rhaid i mi fynd yn agos i olwg y sbrych, a chodi pres o'r Post yn Woodville Road, neu yn y dre. Ond doedd genna i fawr o ddewis pan oedd hi'n piso bwrw glaw.

Diwrnod glawog oedd hi pan es i yno i godi ffeifar efo fy llyfr post glas. Mae'n rhaid fod y tywydd yn ffeithio ar hon hefyd, achos mi ddechreuodd hi daranu pan edrychodd hi ar y llyfr.

'This is supposed to be a savings account,' medda hi, 'not a cheque book.' Wedyn mi ddechreuodd hi bregethu'r un hen bregeth ro'n i wedi ei chlywed bob tro ro'n i wedi bod yno.

'I don't know what's going to become of the young of today. All they think about is spend, spend, spend, and having a good time. I had nothing when I was young and I've had to work my fingers to the bone to get what I own today. . . '

Roedd hi'n gafael yn y teclyn stampio a'i bwyntio fo ata i, fel tasa hi'n cario gwn ac yn barod i saethu.

'. . . they lack responsibility and they show no concern towards their fellow human beings. They're rude, aggressive, and foul mouthed. The Government should bring back the cat-o'-nine-tails; they still use it in the Isle of Man, you know. Oh yes they do. . . ' Stampia'r llyfr 'na'r gotsan glai, cyn i mi ddŵad rownd i fanna a stwffio'r teclyn 'na i lawr dy hen gorn cwac mawr di.

'. . . and these students, huh, I wouldn't give them a penny to carry on as they do—drinking and causing trouble. A Welsh one came in here the other day and asked me for a Welsh form. No, he didn't ask, he demanded one, if you please. I told him what he could do with his Welsh forms. Won't see him in here again. That Welsh Language Society crowd should be hung. There's no room for that kind of thing in Wales. Look what happened in Ireland. No, Wales is the land of song. . . '

Ro'n i wedi cael llond bol. Fedrwn i ddim cymryd dim mwy. 'Be' sy' arna chdi'n rhefru fel hyn o hyd, yr hen ast wirion?' medda fi.

'I beg your pardon?' medda hi.

'Ai'm feri grêtffwl ffor ior opinion,' medda fi.

Mi waldiodd hi'r teclyn stampio ar fy llyfr i a stwffio fy ffeifar i o dan y gwydr.

Ro'n i'n teimlo fel clwt llestri ar ôl gorfod gwrando ar y jadan yna am chwartar awr, felly mi es i am beint i far y New Ely, er mwyn cael dŵad ata fy hun.

Pan es i yn f'ôl i'r tŷ, roedd 'na ddau lythyr i mi yn y lobi. Sgwennu'r hen ddynas oedd ar un, a sgwennu Yncl Dic ar y llall.

Mi wnes i banad o goffi a rowlio ffag cyn ista i lawr i'w darllan nhw. Roedd yr hen ddynas yn diawlio am nad oeddwn i'n sgwennu neu'n ffônio adra'n ddigon amal i ddeud fy hanas. Ond, chwara teg iddi hi, roedd hi wedi gyrru siec werth decpunt. Mi fydda hwnnw'n handi iawn.

Roedd llythyr Yncl Dic yn un doniol iawn, ond dwi'n siŵr ei fod o wedi meddwi pan oedd o'n ei sgwennu o, achos roedd ei sgrifen o fel traed brain. Roedd o'n deud fod Sei wedi mynd i Ostrelia yn fuan wedi i mi fynd i Gaerdydd. Roedd hi'n ddistaw yn y Chwain, medda fo, ac roedd Banjo a Milc Shêc yn dal i gicio'u sodla o gwmpas y lle. Roedd o'n deud hefyd 'mod i wedi cael M.P. newydd, ac os byswn i'n ffeindio fy hun mewn unrhyw drwbwl, ro'n i i fod i gysylltu efo rhyw foi o'r enw Dafydd Elwyn neu rywun.

Ro'n i am sgwennu llythyr yn ôl at y ddau, ond doedd genna i ddim papur, nac amlen, na stamp. Mi benderfynais i y byswn i'n mynd ati i sgwennu y diwrnod wedyn, achos doeddwn i ddim am fentro'n ôl i'r Post i gael mwy o'r 'third degree' gan yr hen ddynas 'na.

9

Ro'n i'n dal i feddwl am fynd i chwilio am fflat bob yn hyn a hyn, ond doeddwn i ddim yn gwybod sut i fynd o'i chwmpas hi. Doedd genna i ddim llawar o fynadd chwaith, ac roedd amsar yn brin. Doeddwn i byth yn codi cyn un. Wedyn, ro'n i'n mynd i'r caffi i gael cinio, cyn mynd i chwara darts am bres efo criw o hogia yn y Tavistock. Roeddan nhw'n hen hogia iawn—petha digon tebyg i mi, ond doeddan nhw ddim yn medru siarad Cymraeg. Roedd 'na amball un doniol ar y naw yno, ac ro'n i wrth fy modd yn gwrando arnyn nhw'n mynd drwy'u petha.

Ond, tua phump o'r gloch un noson, mi ddechreuais i fynd dipyn bach yn dipresd wrth sylweddoli nad oedd genna i ryw lawar o bres ar ôl yn y Post. Ro'n i wedi cadw siec yr hen ddynas yn saff, rhag ofn y byswn i'n mynd i drwbwl ac yn gorfod prynu ticad bŷs i fynd adra ar hast. Ro'n i jesd â marw isio esgus i fynd i weld Nerys, felly mi benderfynais i fynd i'w holi hi sut oedd mynd ati i chwilio am fflat.

Mi ddechreuodd hi chwerthin pan welodd hi fi yn sefyll wrth y drws. Roedd ganddi hi ffedog am ei chanol, a llwy bren yn ei llaw. 'Helô, Nerys,' medda fi, 'ai'd leic e bit of adfeis.'

'Come in,' medda hi. 'What would you like to know?'

Mi ddilynais i hi drwodd i'r cefn lle'r oedd hi'n berwi reis. Roedd 'na ddiawl o ogla da yn dŵad o gyfeiriad y popty.

'Ddy thing is,' medda fi, 'ai'f got tw ffaind maiself e fflat so ddat ai can get sym mor myni off ddy dôl pipyl. How dŵ iw go arownd it?'

Mi ddechreuodd hi chwerthin uwchben y stof. Roedd hi'n chwerthin cymaint nes roedd hi'n gorfod sychu'r dagra o'i llygaid.

'What's ddy matyr?' medda fi.

'Nothing, nothing, it's just me being silly. Would you like some wine?'

'Ies plîs. Thanciw feri mytsh.'

Rhyw stwff coch oedd o. Doedd o ddim yn ddrwg, ond doedd o ddim hannar cystal â gwin bloda sgawan Yncl Dic.

'Your best bet would be to look at the advertisements in all the local newspapers,' medda hi. 'You could also check the blurb in shop windows and notice-boards in pubs where students drink. I can't think of anything else. There might be some agencies, but I haven't any addresses.'

Mi gofiais i 'mod i wedi gweld notis-bôrd yn y New Ely. Mi fysa'n werth i mi gael golwg ar hwnnw.

'Thanciw feri mytsh,' medda fi, 'ai'l dŵ ddat twmoro.'

Doeddwn i ddim yn gwybod be' i' ddeud wedyn, a doeddwn i ddim yn siŵr a oedd hi isio i mi fynd o'no ai peidio. Roedd ganddi hi sgert o dan y ffedog a jymper bob lliw. Mi ddechreuais i sôn am y tywydd a ballu, a deud wrthi ei bod hi'n edrach yn neis iawn. Mi dywalldodd hi ddŵr berwedig dros y reis, a gofyn: 'Would you like some chilli?'

'Sym what?' medda fi.

'Some Chilli Con Carne. There's enough here

for two.'

'O.K. dden, thanciw feri mytsh indîd; it's feri ceind of iw.'

Roedd 'na flas poeth ar y bwyd, ond roedd o'n reit neis. Ro'n i wedi ei sglaffio fo mewn dau funud. Ddaru hi ddim cynnig pwdin. Mi roddodd hi wydriad arall o win i mi, a deud ei bod hi'n gorfod mynd allan i rywle am hannar awr wedi chwech. Roedd hi wedi gorffan ei gwin ac roedd hi wedi dechra tacluso o gwmpas y lle; roedd hi fel tasa hi ar biga'r drain fwya sydyn. Roedd hi'n amser i mi hel fy nhraed. Mi ddywedais i ta-ta, a diolch yn fawr, a bod 'na groeso iddi alw am banad unrhyw adeg. Roedd hi'n dal i sefyll yn y drws tra o'n i'n mynd i fyny'r grisia.

'Bleddyn? medda hi.

'Ies,' medda fi.

'I'm going to a private view on Thursday night. Would you like to come along?'

Doedd genna i ddim syniad am be' ddiawl roedd hi'n siarad. 'Ym. . . y. . . what is e preifet fiw?'

'A private view. Four artists are exhibiting their work. I've got two tickets for the opening night. There'll be plenty of free wine. Would you like to come with me?'

'Ies, O.K. dden. What teim?'

'There's a bus that goes at six thirty. So what if we said six fifteen?'

'Cwortyr pasd sics. Ies, ddat's ôlreit. Ai'l noc ddy dôr, shal ai?'

'Um. . . no. Um. . . I'll meet you at the bus stop.'

'O.K. dden. Ai'l si iw on Thyrsdei.'

'Bye bye.'

Roedd hi'n chwerthin wrth iddi gau'r drws.

10

Roedd hi'n piso bwrw glaw pan agorais i'r cyrtans amsar cinio dydd Iau. Damia, damia, damia. Ro'n i isio pres i fynd allan efo Nerys, ac mi fyddai'n rhaid i mi roi siec yr hen ddynas yn fy nghyfri. Mi deimlais i ryw dro yn fy stumog wrth sylweddoli y bysa'n rhaid i mi fynd i'r Post yn Salisbury Road.

Wrth gerdded yno, ro'n i'n gobeithio fod yr ast wedi cael hartan. Mi edrychais i drwy'r ffenest cyn mentro i mewn. Roedd hi'n sefyll yno fel bwmbeili. Doedd 'na'r un enaid byw arall yn y blydi lle.

Mi gymerodd hi fy llyfr i heb ddeud bw na be. Diawl, reit dda, medda fi wrtha fi'n hun. Dydi hi ddim yn mynd i neud song and dans heddiw. Ond mi ddechreuodd hi gythru pan agorodd hi'r llyfr.

'I can't accept a cheque,' medda hi. 'You can only make a cash deposit.'

'What?' medda fi.

'You can only make a cash deposit. Very sorry.'

'Of côrs iw can têc it,' medda fi. 'Ddat tshiec is ffrom mai myddyr. Ai want ddy myni and ai want it now.'

'I'll have to have a word with my husband about this,' medda hi, a diflannu i'r cefn.

Ro'n i'n sefyll yno'n taro fy mysedd yn erbyn y cowntar pan ddaeth 'na ddiawl o gomoshion o gyfeiriad y drws. Wedyn, mi hyrddiodd 'na tuag ugain o betha ifanc eu hunain i mewn drwy'r drws, a dechra rhwygo posteri a ffurflenni a ballu. Roedd 'na ddau foi efo mwstash a jacedi lledar yn mastyr-meindio'r prosidings, ac yn deud wrthyn nhw be' i' neud, a ballu. Doedd genna i ddim syniad pwy oedd yn gneud y llanast, nes iddyn nhw ddechra llafarganu: 'FFURFLENNI CYMRAEG YN AWR! FFUR-FLENNI CYMRAEG YN AWR! FFURFLENNI CYMRAEG YN AWR!. . .'

Blydi rôl on, Cymdeithas yr Iaith oedd rhein! Roeddan nhw wedi infedio Post Mrs Hitler! Mi gaeodd honno a'i gŵr y shytars rownd y cowntar, a rhuthro yn eu hola drwodd i'r cefn. Ro'n i reit ar ganol maes y gad, ond yn pitïo na fysa genna i fwrthwl lwmp neu ordd er mwyn cael gneud job iawn ohoni, yn lle chwara plant 'run fath â'r rhein. Mi edrychais i o gwmpas am rywbeth y medrwn i ei falu'n rhacs, ond roedd Cymdeithas yr Iaith wedi gorffan y job ac wedi dechra canu: 'Rwy'n gweld o bell y dydd yn dod—bydd pob cyfandir is y rhod yn eiddo Iesu mawr. . . Mae pen y bryniau'n llawenhau wrth weld yr haul yn agosáu, a'r nos yn cilio draw.'

Mi glywais i sŵn y seiren yn sgrechian i lawr y stryd. Wedyn, mi gofiais i'n sydyn fod fy llyfr post a fy siec i y tu ôl i'r cowntar. Blydi hel, roedd rhaid i mi eu cael nhw'n ôl! Mi ddechreuais i waldio'r gwydr a'r shytars 'run fath â rhywbeth wedi myllio, a'r funud nesa roedd 'na ddau blisman mawr yn trio fy halio i allan o'r Post.

'Ai'm not widd ddem,' medda fi. 'Ai'm inosent. Ai cêm ffor ddy myni. Ai'f got mai llyfr post biheind ddy cowntyr.'

Mi lwyddais i i gael gafael ar handlan y drws, a dal fy nhir yn o lew, pan ddaeth 'na ryw sarjant mawr a golwg real sglyf arno fo ata i, a deud: 'Well,

POST OFF
IBALA

well, what have we got here then? What's the matter, sunshine? Lost our bottle, 'ave we? Worried about what Mammy and Daddy are going to think about all this? Take him in, men.'

'No no, ai was jesd standing bai ddy cowntyr. Asg ddy wyman, asg ddy wyman. . . '

Mi ges i uffarn o gic yn fy nghwd nes ro'n i yn fy nybla, cyn cael fy halio i mewn i gar y cops. Ro'n i'n medru gweld Cymdeithas yr Iaith yn cerdded i mewn i'r fania yn union fel tasan nhw'n cychwyn ar drip Ysgol Sul.

Mi gaeais i fy llygid yn y car, a gobeithio i'r nefoedd mai breuddwydio oeddwn i. O'n, ro'n i wedi cael hunlla ar ôl bod yn poeni gormod am orfod wynebu'r hen ffwcin wrach 'na yn y Post. Ond pan agorais i fy llygaid, roedd y car yn sgrialu rownd y gornal heibio i'r Amgueddfa ac i gyfeiriad y Central Police Station.

Mewn chwinciad chwannan, ro'n i yn nhraed fy sana ac yn rhannu cell efo dau grwc. Ro'n i'n cachu plancia.

'What are you in for, angel face?' medda un ohonyn nhw wrtha i.

Mi es i drwy'r stori i gyd bob yn dipyn. Roedd y ddau ohonyn nhw'n ista ar y gwely pren ac yn ysgwyd eu penna.

'Fucking toe-rags,' medda un.

'It's a fucking police state,' medda'r llall.

Roeddan nhw yn eu siwtia gora ac yn mynd o flaen eu gwell, os gwell hefyd, y bora hwnnw.

'You wants to get hold of a tidy solicitor and sue the fuckers,' medda un. 'You could be on a tidy little number here, see. They'll have to pay you compensation.'

'Aye,' medda'r boi arall, 'you're lucky. We're in for a five year stretch, we are.'

'Shut up, Vic, for Christ's sake,' medda'r llall wedyn.

'Where you from?' medda Vic wrtha i.

'North Wêls,' medda fi.

'You a Welsh Nationalist?'

'Wel. . . y. . . ies in e wê. . . it dipends. . . '

'Do you know. . . Ym. . . wait a minute now, Christ, it's slipped my mind. What was his name, Allan?'

'That bloke—the Commander in Chief of the Free Wales Army.'

'O, him. Fuck me, what was his name now, wasn't it Julius or something?'

'Aye, that's it. Do you know him?'

'No,' medda fi.

'Hell of a boy, he was. He could blow this fucking shanty to kingdom come, he could.'

Biti ar y naw na fysa fo'n chwythu'r blydi Post 'na i ebargofiant.

Mi ddaeth 'na blisman at y drws. 'Victor Lawrence Gardner. Allan John Davidson. You're up in courtroom number three.'

'All the best, taff,' medda Vic wrtha i.

'Ai, sêm tw iw, Vic,' medda finna.

Mi ddywedodd Vic rywbeth wrth y plisman a phwyntio ata i cyn i'r drws gael ei gau a'i gloi. Roedd genna i ofn rŵan, ofn i'r diawliad fy nghadw i yno am byth. Ro'n i'n clywed Cymdeithas yr Iaith yn canu emyna a chaneuon Dafydd Iwan.

Pan ganodd cloc y dre ddwy waith, mi ddaeth y plisman i fy nôl i a mynd â fi i stafell lle'r oedd y sarjant tew yn ista y tu ôl i fwrdd.

'Now then, boio,' medda fo, 'sorry we couldn't lock you up with your mates. Damn nuisance, you lot, you always fill the place up. Right, name, address and occupation.'

'Lisyn,' medda fi, 'It's ôl e big mistêc. . . '

'No. You listen to me,' medda fo. 'I've got a heavy schedule, I've got a wife and kids who are expecting me at home, and I want to get shot of the lot of you as soon as I can. Now, name, address. . . '

'Ai was jesd standing in ddy Post,' medda fi. 'Ai'm not widd ddem. . . '

Roedd y sarjant tew ar fin codi oddi wrth y bwrdd a rhuthro amdana i pan sibrydodd y plisman arall rywbeth yn ei glust.

'O.K. then,' medda'r sarjant, 'out with it. What's your story?'

Wedi i mi orffan deud yr hanas, mi ddechreuodd o dylino'i wyneb fel tasa fo'n trio gneud torth ohono fo. Wedyn mi aeth y ddau allan a 'ngadael i yno ar fy mhen fy hun. Mae'n rhaid eu bod nhw wedi mynd i holi Cymdeithas yr Iaith. Ro'n i'n saff o un peth, roedd y rheiny'n bownd Dduw o ddeud y gwir wrthyn nhw, a deud nad oedd a wnelo fi ddim byd â nhw, achos plant gweinidogion a titshyrs a ballu ydi'r rhan fwya ohonyn nhw.

Mi ddaeth y sarjant tew yn ei ôl a chynnig sigarét i mi.'Right then, mister. . . y. . . mister. . . What is your name, by the way?'

'Bleddyn. Bleddyn Williams.'

'Right then, Mr Williams. It seems that there's been a bit of a cock-up. We all got a bit excited back there at the Post Office. These language activists are a right pain in the arse. I don't know what all the fuss is about—no one speaks Welsh in Cardiff. . . '

'There are a couple, serj,' medda'r plisman. 'There's Jonesey—P.C. 1783, he speaks Welsh, and the lady who lives next door to me. . . '

'When I want your opinion, Harding, I'll ask for it,' medda'r sarjant. Mi ostyngodd y plisman ei ben, a sbio ar ei draed mawr. 'Now then, where was I?'

medda'r sarjant. 'Oh yes, as far as I'm concerned it's a complete and utter waste of time and a drain on our resources. I'm very sorry for the inconvenience we may have caused you. Now, if you follow P.C. Harding here, he'll return you all your personal effects. Good day, Mr Williams.'

Wnes i ddim symud o'n unfan. Mi ddechreuodd fy nghoesa i grynu, ac mi aeth fy ngheg i'n sych grimpin.

'Ddat's not gwd inyff,' medda fi. Mi sbiodd y sarjant ar y plisman, cyn deud:

'Sorry? I didn't quite catch that.'

'It's not gwd inyff,' medda fi. 'I want tw si e solisityr.'

Mi gerddodd o ata i, sefyll uwch fy mhen i, a rhoi ei fys mawr reit o flaen fy nhrwyn i.

'Now listen here, sonny jim,' medda fo, 'any more of that kind of talk, and the only person you're likely to see will be your maker. Now, start making tracks. I'm counting to ten. One, two. . . '

'Ai'm dimanding to si e solisityr,' medda fi, 'and ai want compynseshion.'

'I'm going to plant one on him,' medda fo wrth y plisman, 'I swear to God I'm going to plant one on him.'

'Iff iw dŵ ddat,' medda fi, 'ai'l tel Dafydd Elwyn.'

'Tell who?' medda fo. Roedd o'n dechra mynd yn lloerig.

'Dafydd Elwyn. Hi's mai niw M.P.'

Mi neidiodd o amdana i, ond mi ddaeth y plisman rhyngddon ni. 'Take him out,' medda'r sarjant tew, 'take him out before I throttle the little bastard.'

'I think you've pushed your luck a bit,' medda'r plisman wrtha i, cyn cloi'r drws unwaith eto.

Mi ddechreuais i ddifaru 'mod i wedi gneud

helynt. Ond wedyn, mi feddyliais i am Nain, ac am Yncl Dic, a Vic ac Allan. Oeddwn, ro'n i wedi gneud y peth iawn. Pam ddiawl y dylai'r sarjant 'na gael tragwyddol heol i neud fel fyd a fynno fo? Roedd 'na fistar ar Mistar Mostyn.

Mi ganodd cloc y dre bum gwaith. Ta-ta Nerys, ta-ta preifet fiw. Yna mi afaelodd 'na ryw arswyd yndda i fwya sydyn. Mam bach, falla eu bod nhw wrthi'n paratoi'r carpad. Roeddan nhw'n mynd i fy lapio i yn hwnnw a 'nghicio i o fan hyn i wythnos nesa. Mi roddais i 'nwy law dros fy nghwd pan agorodd y drws. Roedd 'na balff o ddyn efo locsan yn sefyll yno. Roedd o'n gwisgo ei ddillad ei hun. 'Follow me,' medda fo. Roedd 'na olwg arw uffernol arno fo. Mi aethon ni i lawr y coridor, troi i'r chwith, wedyn i'r dde, ac yno o 'mlaen i roedd 'na gratsh mawr haearn—tebyg i gratsh llewod yn y syrcas. 'In,' medda'r mynydd.

Ro'n i newydd gerdded i lawr coridor cysgod angau, a'r copars wedi baricedio llwybrau cyfiawnder. Ro'n i ar fin cael y gweir ora' ro'n i wedi ei chael erioed. Roedd y bwrdd a'r cadeiria wedi eu boltio i'r llawr. Mi fyswn i'n lwcus cael dŵad o'no yn un darn, heb sôn am fod yn fyw. Mi roddodd o sigarét yn fy ngheg i, ei thanio hi, ac wedyn mi eisteddodd o a rhoi ei draed i fyny ar y bwrdd.

'Sut ma' hen ddyn dy dad?' medda fo.

Mi fuo bron i mi â chael ffatan.

'Be'?' medda fi.

'Sud ma' Harri? Hogyn Harri wy' ti, yn 'de?'

'Y. . . iawn, am wn i. . . y. . . ond sud yda' chi'n gwbod pwy ydw i?'

'Hawdd,' medda fo, a dyma fo'n lluchio'r llyfr post ar y bwrdd. 'Ma'r infformeshion i gyd yn hwn, yn dydi. Rhyw phone call neu ddwy yma ac acw, a Bob's your uncle.'

Mi fuo bron i mi â deud 'And Harri's mai ffaddyr'.

'O'n i'n arfar gweithio efo Harri erstalwm, cyn i mi joinio'r ffôrs. Wy' ti wedi bod mewn trwbwl o'r blaen, yn do?'

'Ym. . . do.'

'A mi wy' ti wedi tynnu dipyn o nyth cacwn yn dy ben yn fan hyn, pnawn 'ma. . . '

'Ddim arna i oedd y bai, y nhw ddaru. . . '

'Cau dy geg a gwranda arna i. Ma' gen ti ddau ddewis. Mi fedra i fynd i nôl twrna i chdi rŵan, wedyn mi fedri di drio gneud cês o wrongful arrest yn erbyn y polîs. Ma' hynny i fyny i chdi. Ond dwi'n deud wrtha chdi rŵan fod peth felly'n mynd i gymryd misoedd cyn daw'r cês i'r cwrt, a falla na 'nei di ddim ennill yn diwadd achos ma' gen ti record. Dy unig ddewis arall di ydi seinio'r darn papur 'ma rŵan, ac mi yrrwn ni bres i chdi. Ond cofia, os wy' ti'n seinio hwn, dwy' ti ddim i ddeud 'run gair wrth neb. Wy' ti'n dalld?'

'Yndw.'

'Cym di gythral o ofal na ddeudi di ddim byd, neu mi gawn ni chdi am rwbath arall.'

'Iawn.'

Ro'n i jesd â marw isio mynd o'r twll lle. Mi fyswn i wedi bodloni ar hannar owns o faco ac apoloji bach reit neis. Mi ddarllenais i'r papur, ei arwyddo fo, a chadw'r cownterffoil.

'Hegla hi, rŵan,' medda'r boi. 'Dwi ddim isio dy weld di'n agos i fan hyn byth eto.'

'Fasach chi'n licio i mi ddeud wrth yr hen ddyn am yrru cardyn Dolig i chi?' medda fi.

'Dos o'ma rŵan, cyn i chdi gael blaen troed yn nhwll dy din.'

Roedd 'na fymryn o wên ar ei wyneb o.

11

Mi ddywedais i'r stori wrth Nerys tra oeddan ni'n mynd drwy'r dre ar lawr ucha'r dybyl-dec. Roedd hi'n meddwl ei bod hi'n stori ddoniol ar y naw, ac roedd hi'n ei dybla'n chwerthin. 'You're so funny,' medda hi. 'I don't think I've ever met anyone who makes me laugh as much as you do.'

Ro'n i'n teimlo fel tramp mewn sasiwn yn y preifet fiw, ac roedd genna i gywilydd o 'nillad blêr. Roedd y lle'n llawn o Saeson cachu posh a mifimahafans. Blydi hel, medda fi wrtha fi'n hun, ma' 'na waith am oes i syrjyn yn fan hyn—ailosod garddyrna'r rhein i gyd. Roedd 'na ambell un yn cerdded 'run fath â ci yn cachu asgwrn. Doedd 'na ddim cwrw yno, dim ond gwin, ac ro'n i'n ei yfad o'n union fel taswn i'n yfad Dandileion and Burdoc.

'Take it easy with those,' medda Nerys.

'It's neis,' medda fi.

Ro'n i mewn hwylia reit dda ar ôl yfad pump neu chwech ohonyn nhw. Pan es i i nôl y nawfed gwydriad, dyma'r ddynas oedd yn rhannu'r stwff wrth y bwrdd yn gofyn i mi a fyswn i'n licio rhoi rhywbeth yn Kitti: 'It dipends hw shi is and what shi lwcs leic,' medda fi.

Doedd y llunia ddim yn gneud rhyw lawer o sens i mi. Doedd 'na ddim llun o fynydd nac o dŷ na dim byd felly yno, jesd rhyw sgwigyls mawr a galwyni o

BALA

baent wedi cael ei slashio dros bob man. Be' fysa'r hen Sam Owen, peintar, yn neud o'r rhein, tybad? medda fi wrtha fi'n hun.

Pan oedd Nerys yn trio esbonio rhyw glamp o lun mawr i mi, mi ddaeth 'na ryw Wil-Jil efo sbectol a sgarff rownd ei wddw atan ni. 'Nerys, darling,' medda fo. 'Hi! How are you? How nice to see you.'

'This is my friend, Bleddyn,' medda Nerys.

'Hi, Bleddyn. Nice to meet you.' Mi gynigiodd o'i law i mi, ond drwy ryw drugaredd, roedd genna i wydriad yn un llaw a ffag yn y llall.

'This is Nic,' medda Nerys. 'This is his painting.'

'Do you like it, Bleddyn?' medda fo wrtha i.

'Leic what?' medda fi.

'The painting.'

'What is it?' medda fi.

'It's post-modernist,' medda fo.

'O! Nefi blŵ! Don't tôc tw mi abowt ddem, ai'f had inyff of ddem ffor wan dê. Ai'm going to opyn e banc acownt twmoro.'

Mi sbiodd y boi arna i fel tasa genna i ddau frwsh emylshiyn lle'r oedd fy nghlustia i i fod, ac mi ddechreuodd Nerys chwerthin a gneud sŵn rhech efo'i gwefusa.

Unwaith y gorffennodd y gwin, mi waeddodd 'na ryw foi ar dop ei lais a deud wrth bawb am ei ganlyn o i ryw bỳb. Doedd genna i ddim llawar o awydd mynd, ond mi ddywedodd Nerys mai hwnnw oedd y pỳb agosa at y lle, a bod amsar yfad yn brin. Felly mi gytunais i.

Mi ddaeth 'na ryw foi rhyfadd i ista wrth fy ochor i yn y pỳb, a dechra sôn am Picasso. 'Ai was in e plê abowt him wans,' medda fi.

'Good God,' medda fo. 'I've never heard of a play about Picasso. So you're an actor then?'

'No no. Ddis was when ai was at sgŵl. Ai wasn't acting him, leic, ai was wan of ddi yddyrs. Wi had e hel of e job treiing tw dŵ ddy nôs, iw nô. It twc ys sics wîcs tw dŵ it in ddy crafft rŵm. Wi did it widd plastig ffrom Paris. It had tw ffit pyrffect on ddy blôc's nôs. No iws treiing tw hold it in plês widd string rownd ddi iyrs, and ddat ceind of cari on—not feri proffeshinal ddat. Hel of e gwd nôs it was. Feri prowd of it, wi wêr. Gwd job ddat.'

'Oh! You mean Pinocchio!' medda'r boi.

'Ai, ddat's him,' medda fi. 'Iw nô what ddei sê abowt blôcs widd big nosus, don't iw?'

'No,' medda fo.

'Wel, ddei sê ddat blôcs widd big nosus haf got big. . . o, feri sori, no, it's ôl reit. Fforget abowt it.'

Mi afaelodd Nerys yn fy llaw i wrth i ni gerdded adra drwy'r dre. 'I feel happy when you're around,' medda hi. 'Are you seeing anyone?'

'Ai can't si enibodi ecsept ddat tramp ofyr ddêr,' medda fi.

'What I mean is, have you got a girlfriend?'

'No,' medda fi. Doeddwn i ddim yn gwybod be' i'w ddeud wedyn.

Pan oeddan ni'n cerdded heibio'r Amgueddfa, mi fagais i ddigon o blwc i ofyn iddi hi a oedd hi'n mynd allan efo rhywun, ond chefais i ddim ateb call ganddi hi. Mi ddechreuodd hi sôn am rywbeth arall.

Mi ddaru hi fy ngwadd i i mewn i'r fflat am banad o goffi ar ôl inni gyrraedd yn ôl i'r tŷ. Mi edrychodd hi arna i wedi iddi lenwi'r teciall. Mi edrychais inna arni hitha. Ro'n i isio gafael ynddi hi. Mi ddaliodd hi ei braich allan, ac mi afaelais inna yn ei llaw hi. Wedyn mi afaelodd y ddau ohonon ni yn ein gilydd, a dechra cusanu. Roedd hi'n gynnes braf, ac roedd

’na ogla da arni hi. Roedd y teciall yn berwi. ‘Iw betyr pwt ddat off,’ medda fi, ‘or it wil boil drei. Ddat hapynd tw mai Myddyr wans on Crusmas dê. Wi had tw iws e sospan ffor tŵ dês.’

Mi ddechreuodd hi chwerthin eto. ‘Shall we forget about it and go to bed?’ medda hi, ar ôl iddi stopio chwerthin.

‘Ies,’ medda fi.

‘Lay lady, lay, lay across my big brass bed. . . His clothes are dirty but his hands are clean and you’re the best thing that he’s ever seen. . . ’

Mi ddaru hi ddiffodd y gola mawr, a gadael y gola bach ymlaen wrth ochor y gwely. Roedd y ddau ohonon ni’n sbio ar ein gilydd tra oeddan ni’n tynnu’n dillad. Roedd ganddi hi fronna mawr, a’u blaena nhw’n troi am i fyny. Roedd ’na ogla neis ar bob dim—arni hi, ar y cynfasa ac ar y gobennydd. Doeddwn i ddim yn rhyw siŵr iawn lle’r o’n i i fod i ddechra. Ro’n i’n symud o un lle i’r llall yn methu penderfynu’n iawn be’ ro’n i’n ei licio ora, ’run fath â phlentyn pan mae o’n gweld ei bresanta bora Dolig. ‘Take it easy,’ medda hi, ‘we’ve got plenty of time.’

Ro’n i’n teimlo’r llwyth yn dŵad o bell. . . ro’n i’n gweld yr hyfryd ddydd yn gwawrio. . . Roedd hi’n gweiddi fel tasa hi wedi rhoi ffeifar ar geffyl ac yn gweld hwnnw’n cyrraedd y terfyn o flaen pob ceffyl arall. . . doeddwn i rioed wedi gweld y ffashiwn how-di-dw a hyrddio. . . diolch i Dduw nad oedd ganddi hi ddim chwip. . .

12

Roedd digwyddiadau'r noson gynt wedi rhoi mymryn mwy o lèd yn fy mhensal i. Ro'n i'n teimlo fel dyn newydd. Wedi i Nerys fynd i'r Coleg, mi gerddais i'n dalog draw i'r Post yn Salisbury Road. Roedd yr hen slebog yn sefyll yn dalsyth y tu ôl i'r cowntar, ac yn ffieiddio sypreis-atac Cymdeithas yr Iaith wrth ryw ddwy ddynas arall go debyg iddi hi ei hun. Roedd hi mor falch eu bod nhw wedi cael eu harestio, ac yn canmol y copars i'r cymyla. Ond mi newidiodd ei gwep hi pan welodd hi fi'n cerdded i mewn drwy'r drws. Mi es i i fyny ati hi a dechra deud wrthi hi faint oedd 'na tan Sul. 'Lisyn, iw old cow,' medda fi, 'Ai'f told Dafydd Elwyn abowt iw, and it wont bi long biffôr iw'l bi owt of ddis plês, bag and bagej. Iw betyr watsh owt ffor Julius as wel—hi's ddy Commander in Chief of ddy Free Wales Army, and hi'l blô ddis dymp tw smiddarîns. Ior dês ar nymbyrd, musus.'

Roedd y tair ohonyn nhw'n sbio arna i efo'u cega'n gorad. Pan oeddwn i ar fy ffordd allan, mi afaelais i mewn bwndal o ffurflenni newydd sbon danlli, a'u lluchio nhw ar lawr. 'And it's abowt teim iw got sym Welsh fforms tŵ,' medda fi. 'I'r gad!' medda fi. 'I'r gad!' Mi waeddodd hi ar ei gŵr, ond doedd 'na neb yn mynd i 'nal i.

Wrth redeg i lawr y ffordd, mi feddyliais i y bysa'n syniad reit dda i Gymdeithas yr Iaith neud rhywbeth tebyg i be' ro'n i newydd ei neud. Doeddwn i ddim yn medru deall pam ar y ddaear roeddan nhw'n canu emyna, ac yn aros i'r copars gyrraedd. Doedd y peth ddim yn gneud sens. Mae o'n union 'run fath â tasa twrci tew yn ffeindio'i ffordd allan o'r cwt; mae o'n rhydd ar y buarth ac yn sbio o'i gwmpas. Ond yn hytrach na dengid i waelodion y cae, mae o'n cerdded yn syth at ddrws y ffarm, cnocio'r drws efo'i big, ac yn deud wrth y ffarmwr: 'Ydi hi rwla o gwmpas yr amsar i mi gael y farwol, 'dwch?'

13

Mi ddaeth Mal Jones i 'ngweld i'n gynnar un min nos. Ro'n i'n gwybod fod ganddo fo ryw newydd drwg y funud y rhoddodd o'i draed ar y carpad rhacsiog. Doedd o ddim yn medru ista na sefyll yn llonydd, ac roedd 'na olwg boenus ddiawledig arno fo.

'Ti'n o lew, Bleddyn?' medda fo.

'Nac'dw,' medda fi. 'Mi fues i'n sâl uffernol am dridia, wedyn mi farwais i ac mi ddaru nhw 'nghladdu i ar bnawn dydd Sadwrn gwlyb. Lwcus fod 'na rhywun wedi fy ffeindio i, neu mi fasa ti wedi cerddad i mewn i fan hyn heno ac wedi 'ngweld i'n pydru ar dy giarpad di. Falla mai chdi fasa wedi cael y fraint o neud y pôst-mortym.'

'Sori, Bleddyn. Dwi 'di meddwl galw lot o weithia,' medda fo.

'Be' sy' arna chdi heno?' medda fi. 'Ti'r un fath â rhech mewn pot jam.'

Mi eisteddodd o i lawr, a dechra crafu ei ben.

'Wel,' medda fo, 'ym. . . y peth ydi. . . ym. . . wel ma' Linda a fi 'di bod yn meddwl. . . ym. . . '

'Wedi bod yn meddwl falla y baswn i'n licio dŵad i fyw ata' chi, er mwyn i chdi gael 'y ngweld i'n amlach, ia?' medda fi.

'Wel, naci. . . ond. . . ym. . . wedi bod yn meddwl falla 'i bod hi'n amsar. . . ym. . . '

'Yn amsar i mi ddechra talu ffuffdi cwid o rent i

chdi bob wsnos, ia? Aros am funud, mi a' i i nôl y tshiec-bwc rŵan.'

'Naci, naci. 'Da' ni 'di bod yn meddwl. . . ym. . . '

'O ffor ffyc sêc, Mal Jôs, allan â fo cyn i chdi fynd yn rhwym.'

'Iawn 'ta. Ma' Linda a fi yn reit siriys rŵan. 'Da' ni'n byw efo'n gilydd ers dipyn, a 'da' ni'n pasa aros efo'n gilydd. . . a. . . wel. . . y peth ydi. . . ym. . . wel y peth ydi, dydi hi ddim yn gweld y point i mi ddal i dalu am fan hyn, a finna byth yma.'

'O, wela i,' medda fi. 'Reit. Iawn, mi fydda i allan erbyn nos fory.'

Mi afaelais i yn fy nghôt, a chychwyn am y drws. Ro'n i'n difaru fy enaid na fyswn i wedi trio chwilio am rywle i fyw. Ro'n i wedi dechra casáu Mal Jones, ac ro'n i'n ffieiddio'r ffaith 'mod i'n dal i fod ar ei drugaredd o.

'Na, paid â mynd,' medda fo. 'Gei di aros yma am wsnos. . . ym. . . naci, mis dwi'n feddwl. Gei di aros yma tan fyddi di wedi ffeindio lle arall. Sud ma' hynny'n dy siwtio di?'

Ond ro'n i ar fy ffordd i lawr staer. Roedd o'n dal i weiddi ac yn cynnig peint i mi. Mi fuo bron i mi â mynd i ofyn i Nerys a fyswn i'n cael aros efo hi am sbelan, ond doedd genna i ddim digon o gyts. Fysa hynny'n da i ddim beth bynnag. Roedd rhaid i mi gael lle i mi fy hun er mwyn cael mwy o bres gen y dôl. Mi gychwynnais i am y New Ely.

14

Dim ond pedwar oedd yn y New Ely—y dyn bach efo'r wên a'r sbecdol nashonal helth; y dyn oedd yn bwyta gwellt ei wely; boi efo mwstash, a boi efo mwstash a sbecdol.

Mi godais i beint, a dechra stydio'r notice-board. Cymdeithas yr Iaith. . . Plaid Cymru. . . rhywun isio liffd i Bala—blydi hel, ma'r dowcars 'ma ym mhobman, medda fi wrtha fi'n hun. Car ar werth. . . 'Yn eisiau: rhywun i rannu fflat, £5.00 yr wythnos. Cysyllter â: Gethin O'Neill, 88, Column Road, Cathays, Caerdydd.'

Diawl, reit dda. Falla 'mod i mewn dipyn o lwc, medda fi wrtha fi'n hun. Ond pwy oedd yr O'Neill 'ma, tybad? Mi es i at y bwrdd lle'r oedd y ddau fwstash yn ista. 'Cymry yda' chi, hogia?' medda fi.

'Ia,' medda'r ddau efo'i gilydd.

'Yda' chi'n nabod Gethin O'Neill?'

'Dwi'n gwbod pwy ydi o, ond dwi'm yn 'i nabod o'n dda,' medda'r mwstash heb y sbecdol.

'Fydd o'n dŵad yma'n amal?' medda fi.

'Na, dim felly,' medda'r un boi eto.

'Lle ma'r Column Road 'ma, 'dwch?'

'Wy' ti'n gwbod lle ma'r Woodville?' medda'r mwstash efo'r sbecdol.

'Yndw,' medda fi.

'Wel, dos i fyny i fanno, dros y bont, a throi i'r

dde. Honna ydi Column Road.'

'Diolch, hogia,' medda fi.

'Croeso'n tad,' medda un.

'Gobeithio cei di lwc,' medda'r llall.

Mi fyswn i'n taeru 'mod i wedi gweld y mwstash efo'r sbecdol yn canu mewn grŵp ar un o'r programs Cymraeg.

Roedd hi'n pigo bwrw pan adewais i'r New Ely. Bob tro roedd 'na foi yn pasio, ro'n i'n meddwl mai hwnnw oedd Gethin O'Neill. Roedd hi'n tywallt y glaw erbyn i mi gyrraedd 88, Column Road.

Mi ddaeth 'na hogan at y drws. Roedd hi'n gwisgo jaced ledar a jîns.

'Is Gethin O'Neill in?' medda fi.

'Hold on,' medda hi.

Mi aeth hi i lawr y pasej, cnocio drws, a dechra gweiddi 'Gethin' dros bob man. Wedyn mi ddaeth hi'n ôl at y drws. 'No, he's not,' medda hi. 'Would you like to come in and wait for him? It's pissing down out there.'

'No thanciw, it's ôl reit,' medda fi. 'Ail côl agen twmoro.'

'You sure you wouldn't like to come in? I don't know where he's gone to, but he might be back before long.'

'No, it's O.K.,' medda fi.

'Who shall I say called?' medda hi.

'O, no wan, it's O.K., ai'l si him twmoro. Thanciw feri mytsh.'

'Suit yourself,' medda hi, a rhoi clep i'r drws.

Cachu ci, cachu cath, cachu mwnci jesd 'run fath.

Doedd genna i ddim digon o bres i gael peint arall yn y New Ely. Ro'n i'n wlyb at fy nghroen erbyn i mi gyrraedd Glyn Rhondda Street. Mi gnociais i ddrws

Nerys yn y gobaith o gael tamad, a rhyw chydig o gysur. Ond doedd hi ddim yno.

15

Roedd hi'n dal i fwrw a chwythu pan ddeffrais i y bore wedyn. Mi wnes i banad o goffi, rowlio ffag, a mynd yn ôl i 'ngwely. Doeddwn i ddim yn mynd i wlychu eto, rhag ofn i mi gael niwmonia.

Be' fyswn i'n neud taswn i adra heddiw, tybad?. . . Codi, berwi wy, mynd i chwilio am yr hogia. . . Mynd i werthu coed tân er mwyn cael pres i brynu fflagyns. . . Galw yn nhŷ Hyw Hogyn Mam gynta. Mi fydda Hyw yn bownd Dduw o brynu am na fedra fo dorri a hollti coed. . . Hyw yn ein gwadd ni i mewn i'r tŷ; ei goesa fo wedi stumio i gyd achos fod ei fam o wedi ei wthio fo yn y goets i bob man tan oedd o'n hogyn mawr. . . Ogla uffernol yn y tŷ— digon i godi pwys ar llgodan fawr. Hyw ar goll ar ôl i'w fam o farw, siarad a bihafio fel hogyn a fynta'n ddyn yn ei oed a'i amsar. . . Hyw yn mynd i'r drôr i chwilio am bres. . . Milc Shêc yn rhoi ei fysadd budur yn y fowlan fenyn a rhoi lwmp mawr yn ei geg. . . Banjo yn dechra chwerthin dros bob man. . . Hyw yn dechra chwerthin yn lloerig. . . Fi'n rhedag at y drws a gneud y sŵn mwya diawledig wrth gael cyfog gwag ar y rhiniog. Annie Piso'n Bell yn pasio heibio ac yn bygwth mynd i nôl y plisman os oeddan ni'n aflonyddu ar Hyw. . . Hel digon o bres. . . Mynd i'r Chwain i nôl fflagyns o Strongbow. . . Mynd i dŷ rhywun i yfad y seidar a gwrando recordia. . . Cream, Taste, Ten Years After, Jimi Hendrix, Richie Havens, Derek and the Dominoes, Little Richard, Bob Dylan, The Rolling Stones.

16

Roedd hi wedi arafu erbyn tua phump. Mi wisgais i 'nghôt fawr, a chychwyn am Column Road.

Mi ddaeth 'na foi efo poni-têl a locsan at y drws.

'Gethin O'Neill?' medda fi.

'Ie,' medda fo, a chrafu ei locsan.

'Bleddyn. Bleddyn Williams. Wedi gweld yr adfýrtusment yn y New Ely. 'Di'r fflat yn dal yn wag?'

'Odi, odi,' medda fo. 'Dere miwn, dere miwn.'

Sowthun, myn diawl, ond ro'n i'n medru dalld bob dim roedd o'n ddeud achos un o'r Sowth oedd Nain Tyrpag. Roedd hi'n arfar siarad Sowth bob yn hyn a hyn, er mwyn gneud i mi chwerthin. Roedd 'na ogla nwy yn y pasej. Roedd 'na ddau wely—un yn y ffrynt, lle'r oedd 'na ddwy gadair, bwrdd a wardrob; ac un yn y cefn, lle'r oedd 'na stof, sinc, a rhyw chydig o gypyrdda ac ati.

'Hon yw'r stafell wag,' medda fo, pan oeddan ni yn y cefn. 'Wi yn y ffrynt. Beth ti'n feddwl?'

'Ia, iawn,' medda fi.

Roedd o'n sbio arna i, ac ro'n inna'n sbio arno fo. Wn i ddim sut, ond ro'n i'n gwybod ei fod o'n hen foi iawn. Dipyn o ddymp oedd y lle. Mi fysa'r hen ddynas yn cael ffit tasa hi'n gwybod 'mod i'n cysidro symud i fyw i gegin gefn.

'Faint ydi o?' medda fi. 'Ffeif pownd ffiffdi, ia?'

'Nage,' medda fo. 'Pum punt a 'weigen yw e rhyng doi. Odi hynna'n iawn?'

'Yndi,' medda fi.

'Ti'n moyn paned?'

'Ia, diolch.'

Roedd 'na gitâr yn gorwedd ar ei wely o, ac roedd 'na lyfra, recordia, a phapura newydd yn blith draphlith ym mhobman. Roedd y lle fel tasa fo ar gychwyn. Doedd o ddim yn gwybod sut i neud te chwaith. Roedd hi'n banad uffernol.

'O's 'da ti le nawr?' medda fo.

'Oes,' medda fi, 'ond dwi'n gorfod symud allan.'

'Bastardied yw'r landordied hyn,' medda fo. 'Beth ti'n neid?'

'Ar y dôl.'

'A fi 'ed.'

Mi rowliodd o ffag, a chynnig un i mi. Roedd o'n nyrfys braidd, 'run fath â fi.

'Ers pryd i ti yng Nghaerdydd?'

'Chydig o wsnosa.'

'Mwynhau?'

'Iawn, am wn i.'

'So, i ti'n moyn symud miwn?'

'Yndw. Ia. Iawn 'ta.'

Doeddwn i ddim yn rhyw siŵr iawn, ond doedd genna i fawr o ddewis. Doedd genna i ddim mynadd i fynd rownd i chwilio am rywle arall, ac mae'n siŵr y byswn i'n hapusach fy myd yn rhannu fflat efo Cymro yn hytrach na rhyw Jac Sais.

'Gwych, achan,' medda fo. 'Lle ti'n sefyll nawr?'

'Yn Glyn Rhondda Street.'

'Pryd ti'n moyn symud miwn, 'te?'

'Dwn i'm. Heddiw?'

''Na fe, 'te. O's lot o stwff 'da ti?

'Na, dim felly—rhyw sach neu ddwy.'

'Ti'n moyn help?'

'Na. Dwi'm isio achosi traffath.'

'So fe'n drafferth. 'Sda fi ffyc ôl arall i neid. Man a man i ni fynd nawr 'te, ife?'

'Ia. Iawn.'

Roedd o'n siarad am hyn a'r llall wrth i ni gerdded. Wedi i ni groesi'r bont, a chyrraedd y Woodville, dyma fo'n gofyn: 'Ti wedi bod yn y lle hyn o'r blân?'

'Na, dwi'm yn meddwl,' medda fi.

'O's want peint bach arno' ti?'

''Sgenna i ddim pres,' medda fi.

'Sdim ots, bryna i beint i ti. Wi wedi cal y siec dôl 'eddi. Alli di dalu'n ôl i mi rywbryd 'to.'

Doedd dim rhaid iddo fo ofyn ddwywaith. Roedd hi'n haws sgwrsio wedi i ni luchio rhyw ddau neu dri i lawr ein corn gyddfa.

Roedd o wedi cael ei luchio allan o'r coleg, ac roedd o wedi bod ar y dôl y rhan fwya o'r amser byth ers hynny. Roedd y ddau ohonon ni'n cytuno fod isio lot o fynadd i chwilio am job, ond fod isio mwy o fynadd i sticio yn y job honno wedyn.

Wedyn, mi ddechreuodd o sôn am Woody Guthrie, Bob Dylan, Joan Baez a Ramblin' Jack Elliot; ro'n i wrth fy modd. Roedd y ddau ohonon ni'n ffrindia mawr wrth i ni gerdded allan o'r Woodville.

Mi es i i ddeud wrth Nerys 'mod i wedi ffeindio fflat. Roedd hi'n reit ecseited ynghylch yr holl fusnas. Mi adewais i Gethin efo hi tra o'n i'n hel fy mhetha.

Gwaith pum munud oedd rhoi fy stwff yn yr hafyrsac a'r sach blastig. Wnes i ddim clirio dim, dim ond gadael y lle yn union fel ag yr oedd o pan es i yno gynta. Ar ôl imi orffen pacio, ac wrth edrych o gwmpas y lle am y tro ola, mi ddaeth 'na awydd cachiad drosta i, mwya sydyn. Aros di, Mal Jôs, aros di, washi, medda fi wrtha fi'n hun. Mi roddais i'r ddau oriad newydd ar y bwrdd, wedyn mi es i ben y bwrdd fy hun a'u claddu nhw efo dau rowlyn reit sylweddol. Mi es i ati wedyn i sgwennu nodyn bach:

Annwyl Mal Jones,
Be' ffwc wy' ti 'di neud i'r drws 'na? Ma' hannar y ffycin ffrâm yn mising. Diolch am ddŵad i 'nghyfarfod i i'r steshion, a diolch am edrych ar fy ôl i mor dda. Ma'r goriada newydd o dan dy bresanta di. Gobeithio fod dy ddwylo di'n lân.

TWLL DY DIN DI PHARO

Mi roddais i glep reit dda i'r drws, a gneud yn siŵr ei fod o wedi cloi yn iawn.

Roedd Gethin mewn busnas at ei din efo Nerys, pan es i i lawr staer. Roedd y ddau ohonyn nhw'n bihafio fel tasa nhw'n perthyn i'w gilydd fel llinyn nionod, ac mi fuo'n rhaid i mi sefyllian yno am hannar awr cyn iddo fo benderfynu dŵad o'no. Roedd hi'n amlwg fod hwn yn dipyn o hwrgi, yn coc-of-ddy-Sowth. Mi ddywedais i wrthi hi y byswn i'n galw i'w gweld hi cyn bo hir.

'Jiawch, ma' honno'n fenyw ffein,' medda Gethin, pan oeddan ni ar ein ffordd allan.

'Yndi. Ma' hi'n beth reit ffeind,' medda finna.

Mi gawson ni dri peint arall yn y Woodville ar ein ffordd yn ôl. Pan glywodd rhyw foi chwil fi'n siarad Cymraeg, dyma fo'n gofyn i mi o lle'r o'n i'n dŵad.

'Ffrom North Wêls,' medda fi.

'Oh?' medda fo. 'So you must know the meaning of the term "virgin wool".'

'No, ai don't', medda fi.

'A sheep that can run faster than the shepherd!' medda fo, a dechra chwerthin. 'They're all sheep shaggers up on those mountains.'

Mi fuo ond y dim i mi roi clec i'r cont gwirion, ond roedd 'na ddau neu dri o betha eraill efo fo, a doedd 'na ddim siâp na golwg cwffiwr ar Gethin. Mi synhwyrodd hwnnw fod 'na ffeiarworcs ar fin cychwyn, ac mi hebryngodd o fi allan drwy'r drws. 'Wi'n gwbod amdano' chi bois y Gogledd,' medda fo. 'Chi'n ypseto ar ddim.'

Mi afaelodd Gethin yn ei gitâr pan ddaru ni gyrraedd yn ôl i'r fflat, a dechra canu:

I ain't got no home
I'm just a wanderin' round,
I'm just a wanderin' worker
I go from town to town,
Police make it hard, boys,
Wherever I may roam,
And I ain't got no home in this world anymore.

My brothers and my sisters
They are stranded on this road,
A hot and dusty road
That a million feet have trod,
Landlord took my home
And he drove me from my door,
And I ain't got no home in this world
anymore . . .

Hon oedd un o hoff ganeuon fy Yncl Dic. Mi fysa fo wrth ei fodd yn clywed hwn yn ei chanu hi mor dda.

17

Ro'n i'n goc i gyd yn cerdded i'r lle dôl efo fy llyfr rhent newydd. Mi arwyddais i'r papura i gyd, ond mi gefais i socsan wedyn pan roddodd rhyw ddynas bedwar cardyn pinc i mi. Roeddan nhw wedi trefnu intyrfiw i mi mewn pedwar o lefydd, ac ro'n i i fod i ddangos y cardia i'r bobol yn y llefydd hynny.

Roedd yr intyrfiw cynta mewn ffacdri gneud teils yn Dumballs Road. Mi gymerodd hi oria i mi gerdded i'r blydi lle, a phan gyrhaeddais i yno roedd 'na bedwar o hogia yn cicio'u sodla wrth y drysa mawr. Mi nodiais i fy mhen, a deud 'Ôl-reit?' er mwyn trio bod yn glên. Ond doedd rhein ddim yn hogia clên iawn. Roeddan nhw'n sbio fel tyrchod arna i. Mi gerddodd 'na un mawr ata i, a deud, 'Fuck off'.

'Pardyn?' medda fi.

'Fuck off,' medda fo wedyn. 'This job's for one of us. We tells everyone else to scarper. If they don't we 'ammers them.'

Mi es i o'no ar f'union. Doedd genna i ddim llawar o awydd treulio tridia yn yr intensif cêr.

Roedd hi'n piso bwrw glaw wrth i mi gerdded yn ôl i'r dre. Mi es i i'r steshion i chwilio am fŷs ond doeddwn i ddim yn gwybod pa un oedd yn mynd i gyfeiriad Column Road, a doedd genna i ddim mynadd gofyn i neb. Roedd pob dim yn edrych yn hyll ac yn dipresing o dan yr awyr ddu. Be' ddiawl wy' ti'n neud mewn lle fel hyn, Bleddyn bach, medda fi wrtha fi'n hun. Ond doeddwn i ddim yn gwybod.

Ro'n i'n wlyb at fy nghroen pan gyrhaeddais i'n ôl yn y fflat. Roedd hi'n hannar awr wedi pedwar ac roedd Gethin yn dal i fod yn ei wely.

'Odi hi'n bwrw mas 'na?' medda fo.

'Nac'di,' medda fi. 'O'n i awydd swim bach, ond o'n i wedi anghofio fy nhryncs, so mi es i i mewn yn fy nillad.'

'So ti mewn hwylie da iawn. Be' sy'n bod?' medda fo.

'Jesd hasyl. Blydi bobol y dôl. Mi fuo'n rhaid i mi fynd am intyrfiw. . . '

Ar hynny, mi gnociodd rhywun y drws. 'Cer di,' medda Gethin.

Roedd yr hogan ddaeth i'r drws y noson lawog honno yn sefyll yno. Roedd 'na hogyn bach yn dynn wrth ei sodla hi.

'Is Gethin there?' medda hi.

'Wel. . . ym. . . '

Mi hwffiodd hi ei ffordd heibio, a mynd i ista ar un o'r cadeiria. Roedd hi'n sbio i fyny ac i lawr arna i.

'This is Bleddyn,' medda Gethin. 'He's just moved in. Bleddyn, this is Karen—she lives in the flat upstairs, and this is little Pete.'

Roedd gan lityl Pît ddolur annwyd rhwng ei drwyn a'i wefus. Roedd o'n rhythu arna i.

'You came to the door the other night, didn't you?' medda hi wrtha i.

'Ies,' medda fi.

'He came to the door the other night,' medda hi wrth Gethin. 'I asked him if he wanted to come in and wait for you, but he wouldn't come in. Pissing down it was and all.'

BALA.

'Ai was in e bit of e hyri,' medda fi.

Roedd hi'n gwisgoi jîns a'i jaced ledar unwaith eto. Roedd 'na rywbeth yn ei chylch hi nad oeddwn i ddim yn ei licio o gwbwl, ond wyddwn i ddim be', tan i mi sylwi mai ei gwallt hi oedd yn mynd ar fy nyrfs i. Roedd hi wedi ei dorri o yn yr un steil â'r penabyliad 'na oedd yn y grŵp Sweet. Roedd gas genna i'r rheiny.

'Well,' medda hi wrth Gethin, 'aren't you going to offer me a cup of coffee?'

Mi fwmbliodd Gethin rhywbeth, cyn codi a gwisgo ei ddillad. Mi es i drwodd efo fo i'r cefn i newid fy nillad a sychu fy ngwallt. 'Pwy 'di honna?' medda fi.

'O, ma' hi'n fenyw iawn. Ma' cwpwl o brobleme 'da hi, sbo, ond ma' hi'n ôl-reit,' medda fo a wincio arna i.

Ro'n i'n sefyll yno yn fy nhrôns pan gerddodd hi i mewn atan ni. Mi sbiodd hi arna i am sbelan, gwenu, a mynd yn ôl i'r stafell ffrynt.

Roedd lityl Pît wedi dŵad â'i lyfr lliwio a'i bensilia efo fo. Roedd ei fam o'n smocio No 6, un ar ôl y llall, ac yn gneud llygid ar Gethin. Wedi iddi hi orffan ei choffi, dyma hi'n gofyn i mi, 'Would you mind looking after Pete for half an hour?'

'Wel. . . ym. . . ' Doedd genna i ddim llawar o awydd ei warchod o. Roedd y diawl bach yn dal i rythu arna i.

'You stay with Bleddyn, Pete,' medda hi, 'and do your colouring. I've got to go upstairs to discuss something in private with Gethin.'

'I don't want to stay with him,' medda'r clap. 'I don't like him.'

'I won't be long,' medda hi. 'You behave yourself, now.'

'Fydda i'n ôl mewn muned,' medda Gethin. 'Awn

ni i U.W.I.S.T. wedi'ny i gal pryd bach. Ma' bwyd rhad i gal yn fan'na, a sdim rhaid i ti ddangos carden. Awn ni mas am gwpwl o beints wedi'ny.'

'What did you say your name was?' medda'r boi bach wrtha i wedi iddyn nhw fynd.

'Bleddyn,' medda fi.

'That's a stupid name,' medda fo. 'And you've got a stupid face, as well.'

Does 'na ddim byd yn cynhesu calon dyn yn fwy na phlentyn bach annwyl. Mi roddais i gadair iddo fo wrth y bwrdd, a mynd i orwedd ar fy ngwely yn y stafell gefn.

Mi gyfrais i'r munuda. Tri chwartar awr union fuo Gethin i fyny staer. Roedd ei wyneb o'n fflamgoch pan ddaeth o'n ei ôl. Mi yrrodd o'r trychfil bach i fyny staer at ei fam, ac mi aeth y ddau ohonon ni allan.

Mi gawson ni fwyd reit neis yng nghantîn y coleg, ond ro'n i'n cachu brics trwy'r amser rhag ofn i rywun ffeindio allan nad oeddwn i ddim yn stiwdant.

Mi fuon ni'n yfad mewn dwn i ddim faint o bỳbs, cyn mynd i ryw glwb oedd yn llawn o ddynion duon. Roedd o wedi mynnu mynd â fi i'r fan honno achos roedd o isio i mi glywed rhyw grŵp oedd yn canu yno. Chymerais i fawr o sylw o'r grŵp, achos roedd genna i ofn drwy 'nhin ac allan yn y lle. Mi gafodd Meirion Troed yr Allt ei fygio gan griw o ddynion duon yn nhoilets rhyw glwb, noson cyn gêm rygbi, ac mi fuo'n rhaid iddo fo gael menthyg pres gen yr hogia tan ddydd Sul, pan oedd hi'n amsar iddyn nhw fynd adra. 'Beth yffarn sy'n bod arno' ti?' medda Gethin, ar ôl i mi fod yn cnegian bob munud am chwartar awr 'mod i isio mynd o'no.

'Ma' genna i ofn,' medda fi.

'Ofn beth?'
'Ofn rhein. Ofn iddyn nhw ddwyn 'y mhres i.'
'Beth? Ti'n meddwl bod dyn du'n fwy tebygol o ddwgid dy arian di na dyn gwyn?'
'Lleidar 'di lleidar, 'de. Mi ddaru rhyw ddynion duon ddwyn pres Meirion Troed. . . '
'Cŵl hed nawr. Chi Gogs i gyd 'run peth—chi gyd yn rêcist.'
'Be' di rêsust?' medda fi.
'Chi gyd yn meddwl bod chi'n well na phawb arall. So' chi'n lico hwntws, so' chi'n lico Saeson, so' chi'n lico'r duon. Ma' 'da ti lot i ddysgu, Bleddyn, a bydd rhaid i ti ddysgu 'ed, os i ti'n moyn aros yng Nghaerdydd, ac os i ti'n moyn dod mas am beint 'da fi.'
Roedd o wedi gwylltio. Mi gaeais i fy ngheg. Ro'n i'n teimlo'n well pan ddaeth 'na ddau neu dri o'r dynion duon i siarad ac i falu cachu am hyn a'r llall efo Gethin. Roeddan nhw i gyd yn gwenu ac yn betha clên ofnadwy.
Ro'n i wedi meddwi am hannar awr wedi naw, wedi sobri am un ar ddeg, ac wedi meddwi eto erbyn dau o'r gloch y bora, pan oeddan nhw'n hel pawb allan o'r clwb.
Wrth i ni gerdded am adra, mi ddaethon ni ar draws criw o dramps yn gorwedd yn nrws rhyw hen siop. 'Dere,' medda Gethin, a dyma ni'n croesi i ochor arall y stryd. Roeddan nhw'n gweiddi arnan ni ac yn gofyn am bres.
'Wy' ti ddim yn licio tramps?' medda fi. 'Dwi newydd ddarllan uffarn o lyfr da am dramp.'
'Nage tramps yw rheina,' medda fo, 'weinos 'yn nhw. So rheina'n trafeili. Ma' ambell un ohonyn nhw'n galli troi'n gas, 'ed.' Wedyn mi ddechreuodd o ganu ar dop ei lais:

'As I was out walking on a corner one day,
I spied an old hobo, in a doorway he lay,
His face was all grounded in the cold sidewalk floor
And I guess he'd been there for the whole night or more.

Only a hobo, but one more is gone
Leavin' nobody to sing his sad song. . . '

Mi ddaeth 'na gopar allan o'r cysgodion yr ochor arall i'r stryd. 'Hey, you,' medda fo, 'bring it down an octave or two or else I'll bang you up for the night. You're disturbing the peace.'

'No,' medda Gethin, 'it's you that's disturbing my peace.'

'I'm warning you,' medda'r plisman, a dyma fo'n dechra croesi'r ffordd.

'Iesu tyd 'laen,' medda fi, 'dwi 'di bod yn y blydi lle yna unwaith, a does genna i fawr o awydd cal fy nghloi yna eto.'

Ond, unwaith roeddan ni wedi troi'r gornal, roedd o wedi ailafael ynddi hi:

'Does it take much of a man to see his whole life go down,
To look up on the world from a hole in the ground,
To wait for your future like a horse that's gone lame,
To lie in the gutter and die with no name?

Only a hobo. . . '

18

Ro'n i fel llo y bora wedyn. Roedd genna i gur yn fy mhen, ac ro'n i'n gweld dau o bob dim wrth i mi gerdded i Collingdon Road lle'r o'n i'n mynd i gael fy ail intyrfiw. Job mewn warws oedd hon.

Mi ddangosais i fy nghardyn i ryw foi blin yr olwg, ac mi ddywedodd o wrtha i am ei ddilyn o i ryw stafell i fyny grisia. Roedd o'n gwisgo côt frown, ac roedd o'n f'atgoffa i o foi oedd yn dysgu gwaith coed i mi yn rysgol. Hen grinc annifyr oedd hwnnw hefyd.

'Solve that,' medda fo, a phwyntio at sỳm oedd ar ddarn o bapur ar y bwrdd. Fysa waeth iddo fo fod wedi gofyn i mi droi'r bwrdd yn wardrob ddim. Sỳm rannu oedd hi—ro'n i'n gwybod cymaint â hynny wrth sbio ar yr arwydd bach oedd wrth ei hochor hi, ond doedd genna i ddim syniad sut i'w datrys hi. Pam ddiawl roedd o'n gofyn i mi neud y sỳm beth bynnag? Job mewn warws oedd hon, ddim mewn banc.

Mi ddechreuais i deimlo'n sâl. Roedd fy mhen i'n hollti ac ro'n i'n teimlo fy nghalon druan i'n neidio i fyny ac i lawr. I neud petha'n waeth, roedd y boi wedi rhoi ei ddwylo blewog ar y bwrdd, ac roedd o'n craffu arna i. Taswn i'n gall, mi fyswn i wedi mynd o'no ar f'union, achos ro'n i'n medru deud fod hwn yn un ffiaidd. Mi grafais i 'mhen am sbelan a gneud stumia clefar, yn union fel 'tai Pythagoras ei hun mewn penbleth wrth y bwrdd.

Wedyn mi ddechreuodd o arni. 'You can't do it, can you?' medda fo. 'You can't do a simple little division like that. I could do those when I was nine years old. I don't know, the numbskulls they send us down here. You can't find a good, honest, hard working, intelligent young man for the love of money, these days. I spent twelve months in Burma during the war, wading through all kinds of shit, dead bodies rotting all around me. And for what? Is this my reward? Interviewing idiots like you who don't know their heads from their arses? It makes me sick. I thought I was fighting for the future of this nation, but God help us if that future depends on the likes of you. Look at that hair you've got, and those scruffy clothes. You should be ordered to join up, lad. You should be polishing your boots at five every morning, and running twenty miles before breakfast with a sack of stones on your back. . . '

Pam fi? Be' uffarn oedd yn bod arno fo? Roedd Yncl Dic yn arfar deud mai diffyg tamad oedd yn achosi i rai dynion fynd yn betha pigog uffernol. Falla mai dyna be' oedd yn bod efo hwn. Falla fod 'na rywun wedi torri ei ddarn o i ffwrdd yn Burma, ac wedi ei ffrio hi i swpar. Roedd o'n gweiddi'n uwch ac yn uwch, ac roedd 'na ryw hen ffroth gwyn wedi dechra diferu o gornel ei geg o.

'. . . You should be ordered to strip off and swim through ice cold rivers. You should be crossing high terrains in your bare feet. You should be emptying the shit out of the elsans and burying it with your bare hands. . . '

Yna mi glywais i sŵn traed yn dŵad i fyny'r grisia. Mi ddaeth 'na ddyn byr efo bol cwrw, ac yn gwisgo siwt las i mewn i'r stafell, a dyma fo'n dechra gweiddi: 'Right Ivor, this is the last straw.

I've told you time and time again that this isn't a fucking recruiting agency for the British Army—it's a warehouse, for Christ's sake. We've been looking for a lad for weeks, and you keep screwing it up all the time. Now I'm fucking warning you for the last time Ivor, either you. . .'

Mi gaeodd y boi ei geg—arfer corgwn yw cyfarth, meddan nhw. Mi sleifiais i allan yn reit sydyn, rhag ofn i ddyn y siwt gymryd piti drosta i, a chynnig y job i mi. Fysa waeth genna i fynd i hel olion am swllt y dydd i ffarmwr adag c'naea na gorfod gweithio efo'r mwlsun yna.

Ro'n i i fod i fynd am intyrfiw i gegin yr Angel Hotel am ddau o'r gloch, ond doedd genna i ddim stumog na mynadd, felly mi es i am beint bach tawel. Wedi yfad rhyw ddau neu dri, mi benderfynais i y byswn i'n cymryd y pnawn i ffwrdd. Roedd un intyrfiw fel yna'n hen ddigon am un diwrnod. Ro'n i i fod i fwynhau fy hun yng Nghaerdydd, a dim rhedag o gwmpas y lle yn chwalu niwl efo ffon. Mi arhosais i yn y pỳb tan amsar cau.

Pan oeddwn i'n cerdded i fyny St Mary Street mi ddois i ar draws pictiwrs mawr o'r enw The Prince of Wales. Roedd 'na lunia o ddynion a merchaid noeth ar y posteri, ac roedd 'na ffilm o'r enw *Prickly Problems* yn dechra y funud honno; i mewn â fi.

Wel sôn am fwchio. Roeddan nhw wrthi ym mhobman: ar ben bwrdd, yn y bàth, yn y sbens, yn yr hows bach, ar lawr y gegin, yn y cwt gwair, ynghanol y rhosynna, ar ben coeden, ym mhobman ond yn y gwely! Doeddwn i rioed wedi gweld y ffashiwn beth yn fy mhyff.

Mi es i ar f'union i Glyn Rhondda Street ar ôl i'r ffilm orffen, ond doedd Nerys ddim yno, a doedd genna i ddim syniad lle i fynd i chwilio amdani chwaith. Taswn i adra, mi fyswn i'n medru holi hwn a'r llall ynghylch lle'r oedd y person ro'n i'n chwilio amdano fo, ac mi fyswn i wedi dŵad o hyd iddo fo, neu hi, ymhen chwartar awr. Ond fedrwn i ddim gneud hynny yng Nghaerdydd; roedd y lle yn rhy fawr o beth cythral.

19

Ro'n i wedi meddwl cychwyn am yr Angel ben bora wedyn ond, y munud y deffrais i, mi ddechreuais i feddwl am y *Prickly Problems,* ac yn fy ngwely fues i tan amsar cinio.

Roedd cegin yr Angel yn debycach i ladd-dy nac i le gneud bwyd. Roedd 'na anifeiliaid marw yn hongian ar facha ym mhobman, ac roedd y lle mor fawr â chae ffwtbol. Mi ges i fy ngyrru at ryw foi efo mwstash mawr a het wen ar ei ben.

'So you want to be a vegetable cook?' medda fo wrtha i. Doeddwn i ddim yn siŵr ai Spaniard 'ta Italian oedd o.

'Wel. . . y. . . ies, ai sypôs. . . '

'You come with me,' medda fo. Mi ddilynais i o at fwrdd mawr lle'r oedd 'na dwn i ddim faint o wahanol lysia. Doeddwn i rioed wedi gweld y rhan fwya ohonyn nhw o'r blaen.

'What this?' medda fo, a phwyntio at glamp o dysan fawr efo'r gyllall oedd yn ei law o.

'Poteto,' medda fi.

'And this?'

'Carot.'

'And this?'

'Colifflowyr.'

'And this?'

'Sweijyn.'

'What?'

'Ym. . . rŵdyn?'
'Rude one? What you mean "rude one"?'
'No. . . ym. . . swidyn.'
'Ah! Right! Swede—Swedish turnip. And this?' medda fo, a phwyntio at ryw fath o goli-fflowyr gwyrdd.
'Ai don't nô.'
'And this?'
'Ai don't nô.'
'And this?'
'Ai don't nô.'
Mi roddodd o'r gorau iddi wedi i ni gyrraedd y deuddegfed 'don't nô'. Mi blannodd o'r gyllall yn y dysan, a gofyn:
'What job you do before?'
'Ym. . . what, dŵ iw mîn ddy lasd job ai had?'
'Yes, yes.'
'Ym. . . gardynyr.'
'Gardener? Flipinhec! What you grow—flowers or vegetables?'
'Fflowyrs,' medda fi.
'Flowers! Flipin flowers? Mama mia! You crazy son of a bitch. You get out of my kitchen, I have enough a crazy sons of bitches here, already. Go on, out out out.'
Ro'n i'n ei glywed o'n gweiddi wrth i mi gerddded am y liffd: 'He bloody crazy bastard, bloody crazy. . .'

Tri i lawr, un i fynd, medda fi wrtha fi'n hun, wrth gerddded i'r siop gwerthu gwin a chwrw, yn ymyl y New Market Tavern. Ro'n i i fod yno am hannar dydd, ond roedd hi'n dri o'r gloch, rŵan. Er nad oeddwn i wirioneddol isio gwaith, ro'n i wedi cymryd rhyw hannar ffansi at y job yma. Doedd bosib fod cario poteli a llenwi silffoedd yn waith caled iawn, a falla y bysa 'na siawns i gael rhyw lowciad bach ar y slei, rŵan ac yn y man.

Roedd manijyr y siop yn hen foi digon dymunol, ond roedd o wedi rhoi'r job i rywun arall y bore hwnnw. Roedd hi wedi tri. Doedd 'na ddim siawns o gael peint yn unlla, felly mi ofynnais i iddo fo am botal o seidar. Mae'n rhaid fod 'na olwg ddigon truenus arna i, achos mi wrthododd o gymryd y pres a deud fod y botal 'on the house'.

Roedd Gethin yn ei wely pan gyrhaeddais i'n ôl yn y fflat, ac roedd o'n darllen *Writings and Drawings* gan Bob Dylan.

'Shwd mai'n ceibo?' medda fo, a sbio dros ymyl y llyfr.

'Uffernol,' medda fi. Mi es i i nôl dwy gwpan ac agor y fflagyn seidar.

'Beth, ches' ti ddim lwc?'

'Mi fasa'n dda genna i tasa'r diawliad yn gadal llonydd i mi benderfynu pa job sw'n i'n licio trio amdani hi yn lle fy ngyrru i rwla am intyrfiw bob munud.'

'Wel, gwêd ti wrthon nhw pa job i ti'n moyn neid. Neu, os nad i ti'n moyn jobyn o gwbwl, gwêd rhywbeth twp wrthyn nhw—gwêd wrthyn nhw bo' ti'n moyn job mewn nature reserve yn yr Outer Hebrides, neu rywbeth fel 'ny. 'Nes i'na unweth. O'n i wedi bod yn bysgo drwy'r haf ac wedi seino off. Pan ddes i'n ôl i seino mlân ym mis Hydref ddechreuon nhw haslo fi, a chynnig bob mathe o ryw jobsys yffernol i fi. So, wedes i wrthyn nhw taw professional elephant keeper o'n i, a ges i lonydd 'da'r diawled wedi'ny.'

'Diawl, ma' hwnna'n syniad reit dda,' medda fi. 'Deud i mi, Gethin, faint o'r gloch wy' ti'n arfar codi?'

'Dim cyn pump o'r gloch yr adeg hyn o'r flwyddyn, os nad oes rhwbeth yn galw,' medda fo. 'Sdim pwynt cwnni yn y tywydd hyn, twel. Ti'n slafio arian bwyd a arian trydan a nwy wrth aros yn y gwely. O's want pryd bach o fwyd arno' ti yn U.W.I.S.T. heno?'

'Ia, iawn. Ydi hwnna'n llyfr da?' medda fi.

'Odi, ma' fe'n handi yffernol, twel. Wi'n galli dysgu geirie caneuon newydd ar gyfer y gwanwyn, pan fydda i'n dechre bysgo 'to. Ma' bysgo'n ffwl teim job, twel,' medda fo. A dyma fo'n dechra chwerthin fel 'tai o'r dyn hapusa ar wyneb daear.

Mi es i i'r lle dôl wedyn, a deud wrthyn nhw 'mod i'n chwilio am job fel garddwr. Welais i ddim cerdyn pinc byth wedyn.

20

Heblaw am ambell i ffidan yn U.W.I.S.T., ro'n i'n byw y rhan fwya o'r amsar ar wya wedi eu berwi, a brechdana caws a sôs brown. Doedd genna i ddim llawar o ffansi trio mynd ati i goginio dim byd arall yn y fflat, achos roedd y stof mewn cyflwr mochyn-naidd uffernol. Bob tro ro'n i'n berwi wy, ro'n i'n meddwl am Sei ac am yr holl wya roeddan ni wedi eu bwyta efo'n gilydd, yn dawel fel llygod, yn y gegin fach yn tŷ ni, ar ôl dŵad adra o'r Chwain.

Newydd roi wy bob un yn y sosban i Gethin a finna o'n i un noson, pan ganodd y gloch. Mi aeth Gethin at y drws, a phan ddaeth o'n ei ôl roedd 'na horwth o foi mawr yn ei ganlyn o.

'Bleddyn, dyma Steve,' medda Gethin.

'Shwmai,' medda'r boi, mewn rhyw lais cras. Roedd ganddo fo fwshtash mawr fel brwsh bras, ac roedd ganddo fo ryw gadwyni aur rownd ei wddw a'i arddyrna; roedd 'na olwg galad arno fo. Mi aeth Gethin a finna â'n wya drwodd i'r stafell ffrynt, ac ista wrth y bwrdd. Mi eisteddodd y boi ar wely Gethin.

'So, shwd wy' ti'r hen gont?' medda'r boi wrth Gethin. Roedd ganddo fo lygaid fel mochyn, ond roedd 'na rywbeth yn ffeind ynddyn nhw rywsut.

'O, dim yn ddrwg, twel, a thithe?'

'Lan a lawr. Wi newydd golli'n job.'

'Shwd? Beth ddigwyddodd?'

'O'n nhw'n torri lawr ar y staff, a gymres i voluntary redundancy. Roddon nhw gwpwl o gannodd i fi, twel, digon i gadw'r blaidd o'r drws, fel bydde Tad-cu yn arfer gweid.'

Roedd Gethin yn waldio top ei wy efo cefn ei lwy, yn hytrach na'i dorri o'n daclus. Roedd o'n gneud lot o ryw hen betha bach fel yna oedd yn mynd ar fy nerfa i. Roedd y boi wedi rhoi cas record ar ei lin, a dechra rowlio sigarét fawr, hir.

'Beth i ti'n mynd i neid nawr, 'te?' medda Gethin wrtho fo.

'O ma' cwpwl o bethe ar y go 'da fi. O's, cwpwl o bethe bach.'

'Ti'n moyn i Bleddyn neud wy i ti?' medda Gethin. Doedd o ddim yn medru berwi wya. Doedd genno fo ddim digon o fynadd. Roeddan nhw wastad yn ddyfrllyd, neu'n galed fel bôl bêrings, felly fi oedd yn gorfod eu berwi nhw bob tro.

'Na, dim diolch,' medda Steve, 'sai'n lico dim sydd wedi dod mas o dwll tin neb.'

Mi aeth Gethin i neud panad. Roedd Steve bron â gorffen rowlio'r sigarét fawr ac roedd o'n stwffio darn o'r pacad Rizzla fel stwmp bach i un pen.

'So, beth i ti'n neid yng Nghaerdydd?' medda fo.

'Ar y dôl,' medda fi.

'O, jiawch, i ti mewn cwmpni da fan hyn, 'te. Ma' O'Neill wedi bod ar y dôl ers ache. Bues i'n mynd mas 'da menyw o'r gogledd unweth—o Shir Fôn yn rhywle; yr unig beth wy'n gofio amdani 'ddi nawr yw bod yffarn o draed mawr 'da ddi.'

Mi ddechreuodd o chwerthin cyn tanio'r sigarét. Wedi iddo fo gymryd rhyw dair neu bedair drag, mi roddodd o hi i Gethin.

'I ti wedi smoco dôp o'r blân, Bleddyn?' medda Gethin wrtha i.

'O, do,' medda fi, 'do do,' yn union fel taswn i wedi cael fy magu ar y stwff. Mi roddodd Gethin hi i mi, ac mi gymerais i ryw ddrag neu ddwy 'run fath â nhw. Roedd Banjo wedi bod yn ei smocio fo pan aeth o i fyw i Lundain am dair wsnos, medda fo, ac roedd o'n canmol y stwff yn ddiawledig. Roedd genna i ofn braidd, ofn y byswn i'n gweld rhyw betha rhyfadd, ac y byswn i'n gneud rhyw stryman-tia a ballu. Ond doeddwn i ddim yn teimlo'n wahanol o gwbwl. Mi roddodd Gethin 'Blonde on Blonde' ar y peiriant, ac mi ddechreuodd Steve rowlio be' roedd o'n ei alw'n 'joint' arall, tra o'n i'n gorffen smocio'r un gynta.

'Beth i ti'n feddwl?' medda Gethin wrtha i. Roedd o'n sbio arna i bob munud.

'Meddwl o be'?' medda fi.

'O'r smôc hyn,' medda fo.

Wyddwn i ddim be' i ddeud.

'Mae o'n iawn,' medda fi, 'ond does 'na ddim llawar o gic ynddo fo. Rhyw stwff gwan ar y diawl 'da' chi'n smocio yn Gaerdydd 'ma, hogia.'

Mi ddechreuodd y ddau ohonyn nhw chwerthin.

'Ma' Bleddyn yn cŵl, twel,' medda Gethin wrth Steve.

Doeddwn i ddim yn teimlo'n wahanol ar ôl smocio'r ail joint chwaith, ond roedd fy ngheg i wedi mynd yn sych grimpin. Ro'n i angan diod o ddŵr, ond doedd genna i ddim awydd mynd i nôl peth. Roedd y stafell gefn wedi mynd yn lle pell diawledig mwya sydyn. Doedd 'na neb yn siarad.

Roedd Bob Dylan yn llafarganu: '. . . The drunken politician leaps upon the street where mothers weep and the saviours who are fast asleep, they wait for you. And I wait for them to interrupt me drinkin' from my broken cup. . . '

'Mi fasa diod o ddŵr yn dda, rŵan,' medda fi,

ymhen hir a hwyr.

'Bydde,' medda Steve.

'Beth?' medda Gethin.

'Dŵr,' medda Steve.

'Beth obwyti fe?' medda Gethin.

'Mi fasa fo'n dda,' medda fi.

Mi gododd Gethin ar ei draed. Ro'n i'n meddwl ei fod o am fynd i nôl diod o ddŵr, ond y cyfan wnaeth o oedd troi'r record drosodd ac ista i lawr eto. Roedd Steve yn rowlio joint arall a chwerthin bob hyn a hyn.

'Beth yw'r jôc?' medda Gethin.

'Ti,' medda Steve.

'Pam, beth sy'n bod arno i?' medda Gethin.

'O'n i'n meddwl bo' ti'n mynd i'w ôl e jesd nawr,' medda Steve.

'Ôl beth?' medda Gethin.

'Ôl dŵr,' medda Steve.

'Pwy sy'n moyn dŵr?' medda Gethin.

'Fi,' medda fi.

'A fi, 'ed,' medda Steve.

'A chi'n moyn i fi fynd i ôl peth?' medda Gethin.

'Yndan,' medda fi.

Mi ddechreuodd Steve chwerthin dros bob man. Dwn i ddim pam, ond mi ddechreuais inna chwerthin hefyd, nes roedd y dagra'n llifo allan o'n llygid i. Wedyn, mi ddechreuodd Gethin chwerthin. Wedi i'r pwl basio heibio, mi aeth Gethin drwodd i'r cefn a dŵad yn ei ôl efo tri mygiad o ddŵr yn ei ddwylo. Mi ddechreuodd Steve chwerthin eto pan welodd o'r dŵr.

'Be' oedda chdi'n feddwl pan ddudist di bo' fi'n cŵl'? medda fi wrth Gethin.

'Pryd wedes i bo' ti'n cŵl?'

'Jesd rŵan,' medda fi.

'Sai'n gwbod,' medda fo, 'jesd bo' ti'n foi iawn, sbo—bo' ti'n cŵl.'

'Ma'r dŵr 'ma'n cŵl,' medda fi.

Mi ddechreuodd Steve weryru chwerthin. Roedd o'n gorwedd ar ei gefn ar y gwely, ac roedd o wedi rhoi ei ddwy law ar ei 'senna. Bob tro roedd o'n chwerthin, roedd Gethin a finna'n chwerthin hefyd.

Mi roddodd Gethin 'Déjà Vu' ar y peiriant. Mi gefais i blwc sydyn o hiraeth am Sei wrth iddyn nhw ganu '4+20'. Roeddan ni wedi gwrando ar y gân honno efo'n gilydd ddwsina o weithia. Sut oedd o, tybad?

'Pa seis 'sgidia oedd hi'n gymryd?' medda fi wrth Steve.

'Beth?' medda Gethin.

'Sai'n gwbod. Bythdi ten neu eleven. O'dd y ffycin pethe'n anferth,' medda Steve, cyn dechra chwerthin.

'Fel llonga'r Aifft,' medda fi.

'Am beth i chi'n siarad?' medda Gethin.

'Camelod,' medda fi.

'Camelod?' medda fo. Roedd Steve yn dal i chwerthin.

'Ia,' medda fi. 'Camelod ydi llonga'r Aifft, a ma' gen gamal draed mawr.'

'Pam chi'n siarad am draed mowr?' medda Gethin.

'Sôn am yr hogan 'na o Sir Fôn oeddan ni,' medda fi.

'Pa fenyw o Shir Fôn?' medda fo.

'Y fenyw hyn o'n i'n arfer mynd mas 'da,' medda Steve, wedi iddo fo stopio chwerthin. Wedyn, mi edrychodd o ar ei wats a neidio oddi ar y gwely. 'Crist,' medda fo, 'ma'n rhaid i fi fynd. Wi hanner awr yn hwyr.'

'Hwyr i beth?' medda Gethin.

'I weld y fenyw hyn,' medda Steve.

'Wel os wy' ti hanner awr yn hwyr, man a man i ti beido mynd, ac aros fan hyn. Dere, rowlia jointen fach arall.'

'Na, wi'n mynd. Wi'n moyn ffwrch. Cymer hwn,' medda Steve, a dyma fo'n rhoi lwmp o ddôp i Gethin.

'Faint i ti'n moyn amdano fe?' medda Gethin.

'Dim,' medda Steve, 'ma' arno i beth i ti. Wela i ti 'to, Bleddyn.'

'Iawn,' medda fi.

Pan oedd o ar ei ffordd allan, mi gerddodd Karen i mewn drwy'r drws; roedd hi'n drewi o ogla diod.

Mi wnaeth Gethin joint arall. Wedyn, mi aeth Karen i ista ar ei lin o, a dechra rwdlian efo fo. Ro'n i'n ffwndro braidd. Ro'n i'n meddwl am rywbeth i'w ddeud, ond pan oeddwn i ar ganol y frawddeg ro'n i'n anghofio'r gweddill o'r hyn ro'n i am ei ddeud. Ro'n i'n poeni fod Gethin a Karen yn gneud hwyl am fy mhen i. Pan ddaru nhw ddechra snogio, mi es i drwodd i'n stafell, cau'r drws, a gorwedd ar fy ngwely. Doeddwn i ddim yn teimlo'n sâl, ond ro'n i'n annifyr i gyd rywsut, ac yn meddwl am y petha rhyfedda. Ymhen rhyw bum munud, ro'n i'n medru eu clywed nhw wrthi ar y gwely; roedd hi'n ebychu'n uchel.

Mi wisgais i fy nghôt a mynd allan i'r stryd. Mi feddyliais i gynta y byswn i'n mynd i weld Nerys, ond wedyn mi newidiais i fy meddwl a phenderfynu mynd i'r New Ely am beint. Pan gyrhaeddais i'r bont, mi ffeindiais i nad oedd genna i'r un ddima goch y delyn aur yn fy mhocedi. Mi bwysais i ar y wal, a sefyll yno am tua deg munud. Roedd hi'n oer ddiawledig. Mi basiodd 'na drên ar ras o dan y bont,

BRAINS
I Love
ROOL O.K.
BALA

ac mi feddyliais i mor braf fysa cael mynd arno fo i rywle, a finna'n gwybod fod 'na rywun ro'n i'n ei licio yn aros amdana i ar y platfform ym mhen draw'r lein. . . mynd i dŷ cynnes braf. . . cael rhywbeth neis i swpar. . .

Mi a' i'n f'ôl, medda fi wrtha fi'n hun. Mae o'n bownd o fod wedi gollwng ei lwyth bellach.

21

Mi ddeffrais i un bore yn teimlo'n giami ddiawledig. Ro'n i'n un laddar o chwys, ac roedd fy mhen i'n troi fel top. Mi sylweddolais i 'mod i'n mynd i chwydu unrhyw funud. Doeddwn i ddim yn medru codi fy mhen. Mi ddechreuodd fy nghalon i guro ffwl pelt wrth i mi feddwl falla y byswn i'n llyncu'r chŵd, a marw 'run fath â Jimi Hendrix. Mi lwyddais i i godi o'r gwely ond fedrwn i ddim sefyll ar fy nhraed; ro'n i'n wan fel brechdan.

Mi edrychais i i gyfeiriad y sinc lle'r oedd 'na ddesgil olchi llestri, ond ro'n i'n gwybod na fyswn i byth yn medru ei chyrraedd hi mewn pryd. Mi ddadlwythais i'r chŵd ar y llawr teils coch. Roedd y stêm yn codi oddi arno fo.

Mi es i yn f'ôl i'r gwely, a dechra crynu a chwysu bob yn ail. Mi driais i weiddi ar Gethin, ond doedd y diawl ddim yn clywed. Ro'n i'n meddwl 'mod i'n mynd i farw. Mi driais i fynd yn ôl i gysgu, yn y gobaith y byswn i'n teimlo'n well pan fyswn i'n deffro yr eildro. Ond cyn gynted ag y caeais i fy llygid, ro'n i isio chwydu eto, ac mi ollyngais i'r ail lwyth dros ochor y gwely. Roedd y stafell yn troi rownd a rownd. Mi driais i weiddi ar Gethin eto, ond doedd 'na ddim ateb. Yna mi lwyddais i i gael gafael ar un o fy 'sgidia, ac mi ddechreuais i gnocio'r wal efo hi, yn ara deg. Mi glywais i o'n deud rhywbeth, ond mi ddaliais i i gnocio nes y daeth o drwodd yn ei byjamas. Roedd o wastad yn gwisgo pyjamas, am ryw reswm.

'Beth ddiawl sy'n bod?' medda fo. 'Dim ond hanner awr wedi naw yw hi.'

Mi bwyntiais i i gyfeiriad y sinc. 'Y ddesgil, y ddesgil,' medda fi.

'Beth?' medda fo. 'Beth i ti'n dreial weid? O's rywbeth yn bod arno' ti?' Wedyn mi welodd o'r chŵd ar y llawr. 'O, jiawch. . . ym. . . Crist o'r nef, sa funed.'

Mi redodd o draw at y sinc, gafael yn y ddesgil, a'i thaflu hi i gyfeiriad y gwely. Cyn gynted ag y cyrhaeddodd hi ro'n i wedi llenwi 'i gwaelod hi, ac wedi ychwanegu at hwnnw efo rhyw stwff dyfrllyd mewn llai na munud wedyn. Roedd Gethin yn sefyll yno fel sombi, ac yn sbio fel llo arna i. Wedyn, mi ddechreuodd o gael cyfog gwag, cyn iddo fo gau ei ffroena efo'i fys a'i fawd. 'Sai'n galli godde arogl hŵd,' medda fo. 'Wi'n twmlo fel hwdi fy hunan.'

'Dos i nôl docdor,' medda fi. 'Dwi'n sâl. Dwi'n marw.'

'Sa funed,' medda fo, a diflannu i'w stafell.

Roedd o wedi gwisgo pan ddaeth o'n ei ôl. Roedd ganddo fo ffag yn ei geg, ac un arall yn ei law.

'Ti'n moyn ffagen, Bleddyn?' medda fo.

'Docdor,' medda fi.

'Nage'r meddyg sy' 'ma, Bleddyn achan, Gethin sy' 'ma. I ti'n diliriys?'

'Dos i nôl ffwcin docdor. Dwi'n sâl.'

Mi ddechreuodd o gael cyfog gwag unwaith eto, ac mi gaeodd o'i ffroena fel roedd o wedi gneud cynt.

'I ti'n moyn i fi fynd i ôl meddyg?' medda fo.

'Yndw.'

'Ti'n moyn i fi fynd i ôl un nawr?'

'Iesu yndw.'

'Pa feddyg?'
'Unrhyw ffwcin feddyg.'
'Y. . . reit. . . y. . . sa funed nawr. . . ym. . . '
Roedd o'n troi rownd a rownd yn ei unfan, efo'i fysadd ar ei ffroena. 'Ti'n gwbod y rhif ffôn?' medda fo.
'Nac'dw.'
'Shwd alla i ffindo meddyg?'
'Uffarn dân, dwi'm yn gwbod. 'Sgen ti ddim un dy hun?'
'Nago's.'
'Iesu gwyn o'r Sowth.'
'A' i i ffono'r Citizen's Advice.'
'Dwi'm isio blydi adfeis, dwi isio docdor.'
Mwya'n byd ro'n i'n gorfod siarad, mwya ro'n i'n gwanhau. Sôn am ben sglefr! Doedd gan y diawl gwirion ddim syniad be' i' neud. Roedd o'n tynnu ar y sigarét oedd yn y llaw rydd, a chrafu ei ben bob yn ail.
'Ym. . . jiawch. . . af i i wilo am Karen lan stâr. Falle y bydd hi'n gwbod beth i' neid.'
Mi driais i fynd i gysgu. Wedyn, mi glywais i'r ddau ohonyn nhw'n dŵad i lawr staer. Mi gerddodd Karen ar flaena'i thraed rhwng y llynnoedd chŵd, a rhoi ei llaw ar fy nhalcian i.
'He's got a high temperature. I'll give you my doctor's phone number. You'd better go and ring her, he doesn't look at all well. Why have you got your hand on your nose?' medda hi wrth Gethin.
'The smell—I can't take it,' medda fo. Mi ddechreuodd o fynd drwy'i bocedi efo'i law rydd. 'I don't think I've got any change for the phone.'
'It's all right,' medda hi. 'I'll go and phone her myself.'
Mae'n rhaid fod hon yn nabod hwn yn ddigon da, medda fi wrtha fi'n hun. Doedd y diawl ddim ffit i

fynd i ffônio docdor. Fwy na thebyg y bysa fo wedi ffonio'r ffeiar brigêd.

Roedd o'n siarad drwy'i drwyn tra oedd o'n berwi'r teciall. 'Ti'n moyn tamed o frecwast, Bleddyn?' medda fo. 'Ma' pasti ôr yn fan hyn.'

'Nac'dw.'

'Ti'n moyn paned fach o goffi a ffagen, 'te?'

Wnes i ddim ateb. Mi droiais i 'mhen tua'r pared a dechra gweddïo y bysa'r docdor yn dŵad yn reit sydyn. Roedd fy stumog i'n ysgwyd fel 'tai o'n trio symud i rywla arall, ac ro'n i'n dal i chwysu. Mi ddechreuais i feddwl am Mam druan. Fues i rioed gymaint o'i hangen hi.

Pan ddeffrais i, roedd 'na ddoctor dynas yn fy nghornio i. Wedyn, mi edrychodd hi i mewn i'n llygid a 'nghlustia i efo'r fflashlamp fach ddelia welais i rioed. Mi ddechreuodd hi ysgwyd ei phen, a holi be' o'n i'n ei fwyta a ballu. Roedd Gethin yn smocio wrth y drws, ac roedd hi'n sbio'n stowt arno fo bob hyn a hyn. Roedd Karen wrthi'n gorffen mopio'r llawr.

'I'll prescribe you some antibiotics,' medda'r ddynas. 'I suggest you stay in bed for a few days. Fluids only till you feel better.'

Mi sgwennodd hi ar y darn papur, edrych o gwmpas y lle, ac ysgwyd ei phen, fel 'tai ganddi hi gywilydd bod yn y ffashiwn ddymp, cyn mynd allan drwy'r drws.

'Go and get this prescription,' medda Karen wrth Gethin, a rhoi'r papur yn ei law o.

'Where can I get it?' medda fo.

'In the chemist's,' medda hitha.

'Which chemist's?'

'Christ almighty, there's one in Mackintosh Place, and another one on Woodville Road. Go on, hurry up.'

Mi wisgodd o'i gôt, a chychwyn am y drws. 'You. . . ym. . . O.K. then. . . ym. . . see you in a minute.'

'He don't know his head from his arse, he don't,' medda hi, a rhoi gwlanan oer ar fy nhalcian i.

Y tro nesa y deffrais i, roedd hi'n ista ar gadair wrth ochor y gwely yn darllen llyfr. 'How you feelin' now, love?' medda hi, pan welodd hi 'mod i wedi agor fy llygid.

'E bit betyr thanciw,' medda fi.

'I don't know where the hell Gethin's got to. He's been gone hours. I think I'd better go to the surgery and ask Dr Feehan for another prescription. I've got to pick little Pete up from school, anyway. Will you be O.K. on your own for a bit?'

'Ies.'

'You're still as white as snow. Bloody useless Gethin is. I won't be long.'

Chwara teg iddi hi. Doedd hi ddim cystal â Mam, ond roedd hi'n gneud y tro, o dan yr amgylchiada. Roedd hi'n dda cael unrhyw un yno, a finna mor giami. Doeddwn i rioed wedi bod yn sâl i ffwrdd o adra o'r blaen, heblaw am y tro pan ges i 'mhigo gan jeliffish ar fy holides yn Tenbi, erstalwm. Ond roedd yr hen ddynas efo fi yn y fan honno. Lle ddiawl oedd Gethin? Mi gofiais i am y cap morwr ges i pan o'n i yn Tenbi, cyn mynd i gysgu'n sownd.

Roedd Karen yn rhoi tair pilsen yn fy ngheg i ac yn dal gwydriad o ddŵr wrth fy ngwefusa i. 'There we are,' medda hi, 'you'll soon be right again. I 'ates bein' ill, me, and I 'ates 'ospitals. Them nurses send me up the wall. Some of them thinks they knows it all. You get some stuck up bitches there and all, and some vicious bitches. They gave me a hard time in the Infirmary when I had little Pete here. You go back to sleep now, love.'

Roedd lityl Pît yn sefyll y tu ôl iddi, a gwn mawr ganddo fo yn ei law.

'What's wrong with him, Mum?' medda fo.

'He's ill, petal.'

'What kind of ill, Mum?'

'Just ill.'

'Is he goin' to die?'

'No, of course not. He'll be fine in a couple of days.'

'Well I hope he dies, 'cause I 'ates him.'

'Shut up, Pete. Don't say things like that.'

Mi ddechreuodd hi olchi'r doman lestri budur oedd wrth y sinc.

Roedd o'n dŵad yn nes ac yn nes ata i efo'r gwn yn ei law. Mwya sydyn, dyma'r diawl bach yn rhoi slap i mi ar draws fy mhen efo'r gwn. 'Don't dŵ ddat,' medda fi. Mi redodd o at ei fam.

Wedyn mi ddaeth o yn ei ôl yn ara deg bach. Roedd y cena bach yn gwybod 'mod i yn fy ngwendid, a'r funud nesa roedd o wedi rhoi peltan arall i mi. Mi afaelais i ynddo fo y tro yma: 'Gwna di hynna eto, yr uffarn bach, a mi sodra i di,' medda fi. Mi redodd o'n ôl at ei fam a dechra gweiddi, 'Mum, Mum, he grabbed me and swore at me.'

'No he didn't,' medda 'i fam o.

'Yes he did, the friggin' bastard swore at me in Welsh.'

Mi roddodd hi sgŵd iddo fo. Wedyn, mi aeth y ddau ohonyn nhw i fyny staer. 'See you later on,' medda hi, cyn iddi hi gau'r drws.

Mi ddeffrais i tua wyth o'r gloch. Roedd Karen yn ista wrth ochor fy ngwely i a'i phen hi'n sownd yn y llyfr unwaith eto. 'Better now?' medda hi.

'Ies thanciw. No sein of Gethin?'

'No, I don't know what's happened to him.'
'Pyrhaps hi's ded,' medda fi.
'I hope he rots in hell,' medda hi.
Mi roddodd hi dair pilsan arall a diod o ddŵr i mi.
'Oh, by the way,' medda hi, 'this was in the hall. I think it's for you.'
Mi roddodd hi amlen wen yn fy llaw i. Ia, fy enw i oedd arni hi. 'Iw opyn it,' medda fi.
Mi agorodd hi'r amlen a thynnu cardyn allan ohoni hi. 'Looks like a birthday card,' medda hi, 'but I can't make head nor tail of it. It's all in Welsh. Here.'
Mi ddarllenais i'r cardyn:
'Pen blwydd hapus iawn i Bleddyn, oddi wrth Mam a Dad.
XXX

Wedi ordro jymper i chdi o'r clwb. Mi wnaf ei phostio pan fydd hi wedi cyrraedd. Mi fydd hi'n gynnes i chdi yn y tywydd oer yma.'
Mi fuo bron i mi â chrio; ro'n i wedi anghofio ei bod hi'n ben blwydd arna i. 'It's mai byrthdê twdê,' medda fi.
'O, you wretched thing, and you ill in bed an' all. Never mind, you can go out and celebrate once you're on your feet again. Who's it from?'
'Mai Myddyr.'
'What's she like?'
'Shi's O.K. Her hart's in ddy reit plês.'
'What?'
'Shi's feri ceind.'
'Does she look like you?'
'Sym sê ai lwc leic her, but shi's tolyr ddan mi.'
'She must be beautiful.'
'Ai don't nô.'

'What about your father?'
'Hi's O.K., tŵ. Feri cweiyt.'
'I tried to poison my old man when I was fourteen. He used to beat us up all the time.'
Mi edrychais ar y llyfr oedd ganddi hi yn ei llaw—*Murder is Easy* gan Agatha Christie. Blydi hels bels, well i mi aros yn llyfra hon, medda fi wrtha fi'n hun, yn enwedig tra bydda i yn y cyflwr yma. 'Wher dŵ iw thinc Gethin's gon tw?' medda fi, er mwyn trio newid y pwnc.
'I don't know. I should never have trusted him with that prescription. Sometimes I think he's from another planet. It's not the dope, it's him. He's dozy. He's got no idea, honestly. I sent him out to buy a cake once, and do you know what he comes back with? A packet of cake-mix—one of those things that you have to add the eggs and sugar, and then cook it yourself. The man's a mooncalf.'
'Iw don't haf tw stei,' medda fi, 'ai'm betyr now. Ai'l bi O.K.'
'I'll go and get my dressing-gown,' medda hi.
'What?' medda fi.
'I'll go and fetch you my dressing-gown. You'd better stay the night in my flat, just in case.'
'Jesd in cês of what?'
'In case you'll be ill in the night. Doctor Feehan said you needed looking after. I feel responsible.'
'Byt ai'm ecsylynt,' medda fi.
'I'm going to fetch it,' medda hi, a rhedeg i fyny staer.
Ro'n i'n rhy wan i ddechra protesdio. Mi ddaeth hi i lawr efo'r dresin-gown, ei gwisgo hi amdana i, a'n hebrwng i i fyny i'w fflat hi.

Roedd 'na ddau wely yn y llofft, un dwbwl ac un sengl. Roedd lityl Pît yn cysgu'n sownd yn y gwely sengl. 'You take this one,' medda hi, a phwyntio at y gwely dwbwl. 'I'll sleep with Pete. Would you like some weak tea with no milk?'

'No thanciw,' medda fi, cyn mynd i mewn i'r gwely. Mi ddiflannodd hi i'r stafell arall.

Doeddwn i ddim yn medru cysgu. Mi wrandewais i arni hi'n berwi'r teciall a thanio sigarét. Mi gaeais i fy llygid pan glywais i hi'n dŵad yn ôl i mewn i'r stafell ymhen rhyw ddeg munud. Mi roddodd hi ei llaw ar fy nhalcian i. Wedyn mi gerddodd hi at y gwely bach. Mi agorais i fy llygid ac edrych arni hi'n tynnu ei dillad. Mi dynnodd hi bob dim, heblaw am ei nicyrs. Roedd ganddi hi din neis. Roedd y ddwy foch yn edrych yn galad a chadarn. Mi gaeais i fy llygid unwaith eto. Lle ddiawl oedd Gethin?

22

'How are you feeling this morning?' medda Karen.
'E lot betyr, thanciw.'
Roedd hi wedi gwisgo. Doedd 'na ddim golwg o'r trychfil bach yn unlle, diolch i Dduw.
'Would you like to try some tea and toast?'
'Ies plîs. What's ddy teim?'
'Ten thirty. You slept well.'
Mi aeth hi drwodd i neud y te a'r tost. Roedd ganddi hi boster mawr o Rod Stewart ar y wal. Roedd y lle yn llawar mwy taclus nag ro'n i wedi meddwl y bysa fo, ond doedd 'na fawr o ddim byd yno.
'Do you play the banjo?' medda hi, pan ddaeth hi drwodd efo'r bwyd ac ista ar waelod y gwely.
'No,' medda fi. 'Whai?'
'You were ranting and raving about a banjo in your sleep last night. I couldn't understand what you were saying 'cause it was all in Welsh.'
'O! Ddat's mai ffrend—it's his nic-nêm.'
'Is he from Cardiff?'
'No, hi's at hôm in North Wêls.'
'Then you started shouting for a milk shake. I'd 'ave gone and made you one if I'd 'ave had the proper stuff.'
'O! Hi's e ffrend, as wel. Ai was probabli drîming abowt ddem.'

'Do you have a lot of friends in Cardiff?'
'No, not rîli.'
'Perhaps you're missing those two.'
'Pyrhaps ai am. Did ai cîp iw awêc?'
'No, not really, it was. . . no, it doesn't matter.'
Mi feddyliais i tybad pam roedd hi wedi mynnu 'mod i'n treulio'r noson yn ei fflat hi. Falla mai isio cwmpeini oedd hi. Doedd Gethin byth yn aros dros nos efo hi. Weithia, roedd o'n cuddio y tu ôl i'r drws pan fydda hi'n cnocio, ac yn deud wrtha i am ddeud wrthi hi ei fod o wedi mynd allan. Mi fysa'n rhaid i mi fod yn ofalus. Doeddwn i ddim isio'i chael hi'n rhedeg ar fy ôl i bob munud. Blydi hel, roedd ganddi hi blentyn, a heblaw am hynny roedd ei gwallt hi'n dal i fynd ar fy nerfa i.
Mi daniodd hi No 6, a phlannu coes y fatshian yng nghrystyn ei thost.
'I've got to go down the D.H.S.S. now,' medda hi. 'You can stay here, if you like.'
'No, it's ôl-reit. I think ai betyr go bac down.'
Mi wisgodd hi ei jaced ledar a'i chap. 'See you later, then.'
'Ies. Thanciw feri mytsh.'
Roedd 'na olwg dipresd arni hi. Wedi smera rhyw chydig o gwmpas y lle, mi es i'n f'ôl i lawr staer. Doedd Gethin ddim yno.
Mi ddechreuais inna deimlo'n dipresd yn hel meddylia wrth orwedd yn fy ngwely. Roedd genna i biti dros yr hogan am fod 'na ryw goc oen wedi rhoi clec iddi hi a'i gadael hi ar ei phen ei hun efo'r hen hogyn bach 'na.
Mi edrychais i o gwmpas y stafell. Sôn am ddymp. Roedd sied yr hen ddyn yn yr ardd gefn adra yn fwy cartrefol na fan hyn. Be' ddiawl oeddwn i'n drio'i neud? Doedd hi ddim yn rhy ddrwg adra. Roedd genna i ffrindia, doedd yr hen bobol ddim yn

cega gormod arna i, ro'n i'n cael bwyd da bob dydd, doedd hi ddim yn rhy boring adra. Ro'n i'n medru mynd am dro, mynd i sgota, mynd i weld Yncl Dic. . .

Yna, mi glywais i rywun yn agor y drws ffrynt. Wedyn, mi hyrddiodd Gethin ei hun i mewn drwy'r drws. Mi droiais i fy mhen tua'r pared a chymryd arna 'mod i'n cysgu. Doedd genna i ddim mynadd siarad efo fo a fynta wedi gneud tro mor wael efo fi. Oni bai am Karen, mi fyswn i'n hannar marw y funud honno.

'Bleddyn? Bleddyn? I ti'n effro?'

'Be wy' ti isio?'

'Ma'r prescripshiwn 'da fi fan hyn. G'randa, wi'n sori, reit. Ma'n yffernol o flin 'da fi obwyti hyn, ond weles i'r boi hyn, twel. Y tro dwetha weles i fe o'dd pan o'n i'n bysgo mas yn Ffrainc, bythdi tair blynedd yn ôl. . . '

'Dwi'm isio gwbod.'

'Weles i fe pan o'n i ar fy ffordd 'nôl, twel. O'dd e moyn prynu peint i fi. O'dd e'n palli dod 'da fi'n ôl fan hyn. . . '

'Dwi 'di deud wrtha chdi, dwi'm isio gwbod.'

'Gymres i beint neu ddoi, twel, ond sai'n cofio beth ddigwyddodd wedi'ny. Geso' ni'n cloi lan 'da'r cops drwy'r nos. Newydd ollwng ni mas ma'r bastardied, nawr.'

Mi rwygodd o'r pacad papur. Syndod fod y blydi peth yn dal i fod ganddo fo. 'I ti'n moyn pilsen fach nawr, Bleddyn?'

'Ffyc off,' medda fi.

Mi ddechreuodd o grafu ei locsan. 'O, jiawch. . . y. . . wela i ti nes 'mlân, 'te.'

Mi gaeodd o'r drws. Yna mi glywais i o'n codi ei gitâr. Mi darodd o chydig o gordia cyn dechra canu:

Police officer, how can it be
You arrest everybody
Except cruel Stackolee?
That bad man, oh cruel Stackolee.

Mister Lyons told Stackolee:
'Please don't take my life,
I've got two little babes
And a darling, loving wife.'
That bad man, oh cruel Stackolee. . .

23

Ro'n i'n gorweddian yn fy ngwely un bora, ac yn trio cofio geiria'r hen gân 'na roeddan ni'n gorfod ei chanu bob Dolig yn rysgol fach: 'Un bore bu cyfarfod ar fuarth mawr yr Hafod. . . jic-jic, jic-jic, cwac-cwac, gobl-gobl, gobl-gobl, cwac-cwac, whish-git, whish-git, i ffwrdd â ni, mae'r Nadolig yn nesáu. . . '

Roedd y Dolig wedi cyrraedd cyn i mi gael tshians i feddwl am y peth. Doedd genna i fawr o awydd mynd adra, ond doedd genna i ddim awydd aros yn yr hofal 'ma chwaith. Ma' dyn angan dipyn o hwyl a phleser dros y Dolig, a digonadd o fwyd da yn ei fol. Ro'n i'n gwybod y bysa fy nwy chwaer annifyr i'n mynd adra, ac roedd yr hen ddynas wedi bod yn sôn am fwcio bwrdd mewn hotel, er mwyn cael sbario gneud y cinio. Dydi Dolig ddim yn hwyl i ferchaid, medda hi, pan maen nhw'n gorfod slafio uwchben y stof drwy'r dydd, a dawnsio tendans i ddynion. Un ryfadd ydi'r hen ddynas. Mae hi'n cael rhyw chwilan fel yna bob yn hyn a hyn.

Mi fedrwn i fynd i aros efo Yncl Dic. Mi fyswn i'n bownd o gael croeso ganddo fo. Ond wedyn, roedd genna i ofn mynd adra rywsut, rhag ofn na fyswn i ddim yn dŵad yn ôl i Gaerdydd. Ro'n i isio i bawb ddeud: 'Dowcs, ddoth yr hen Bleddyn ddim adra dros Dolig'. 'Sgwn i be' mae o'n neud?' 'Tybad be' sy' wedi digwydd iddo fo?'

Cym' betha fel y dôn nhw, Bleddyn bach, medda

fi wrtha fi'n hun. Os na fysa 'na ddim yn dŵad i'r fei, yna mi fyswn i'n dal y bŷs, neu'n codi fy mawd y diwrnod wedyn, neu drennydd fan hwyra. Roedd Gethin wedi diflannu i rywle. Fyswn i byth yn medru aros yn y fflat ar fy mhen fy hun bach.

Mae isio mynadd efo Dolig bob blwyddyn, ond roedd isio mwy o fynadd y tro yma, achos heblaw am orfod mynd i chwilio am bresanta i'r hen bobol, ro'n i'n gorfod mynd i'r lle dôl i seinio rhyw blydi holide fform. Roedd rhaid imi fynd i Glyn Rhondda Street i chwilio am bres y copar Cymraeg hefyd— mi fysa hwnnw'n handi iawn dros Dolig. Doeddwn i ddim wedi clywed siw na miw oddi wrth Nerys. Mae'n rhaid ei bod hi wedi ffeindio lle da yn rhywle. Oedd, roedd isio mynadd.

Roedd Karen yn mynd i Barri at ei chwaer dros Dolig. Roedd hi wedi bod yn siopa yn y dre ryw ben bob dydd ers wythnos gyfa. Roedd hi'n galw i mewn i 'ngweld i bob tro ar ôl iddi hi ddŵad adra, ac yn dangos rhyw hen rybish a sothach roedd hi wedi ei brynu i hwn a'r llall. Doedd Gethin ddim wedi cael mynd ar ei chyfyl hi ers pan oeddwn i wedi bod yn sâl, ac roedd o'n confunsd, medda fo, ei bod hi ar fy ôl i rŵan. Roedd hynny wedi codi ofn arna i, achos doeddwn i ddim isio dechra poetshio efo hi. Yn amal iawn, ro'n i'n gwrthod ateb y drws pan oedd hi'n galw, neu'n gwisgo fy nghôt a smalio 'mod i ar fin mynd allan drwy'r drws. Er ei bod hi wedi bod yn ffeind efo fi, ro'n i'n gwybod fod 'na drwbwl yn canlyn yr hogan; ro'n i'n teimlo hynny ym mêr fy esgyrn.

Mi wisgais i, a sbio arna fi'n hun yn nrych y wardrob yn stafell Gethin. Blydi hel, mi fysa'n rhaid i mi gael dillad newydd o rywle. Roedd 'na olwg fel tramp arna i. Wedyn, mi gychwynnais i am Glyn Rhondda Street.

24

Doedd y pres ddim yno. Mi siwia i'r bastads, medda fi wrtha fi'n hun. Taswn i'n mynd adra dros Dolig, mi fyswn i'n mynd i chwilio am y boi Dafydd Elwyn 'na, a gyrru hwnnw ar ôl y diawliad. Mi gnociais i ddrws Nerys, rhag ofn ei bod hi wedi cadw'r llythyr i mi. Ro'n i isio ei gweld hi beth bynnag, er mwyn cael gwybod be' oedd be' rhwng y ddau ohonon ni. Ro'n i wedi cael llond bol ar y busnas o fynd yn ôl ac ymlaen yno rownd y rîl, a hitha byth yno. Mi ddaeth 'na foi reit dal, a golwg rêl blydi cranc arno fo, at y drws.

'Is Nerys ddêr?' medda fi wrtho fo.

'Who are you?' medda fo.

'Nobodi,' medda fi.

'You must be somebody,' medda fo. 'You must have a name.'

Clefyr Dic—un cocynaidd hefyd.

'Jesd e ffrend,' medda fi. 'Is shi in?'

'No, she's gone home to Colwyn Bay. I'll be seeing her over the New Year. Is there any message?'

'No mesij,' medda fi.

'Who shall I say called?'

'No wan.'

'The man with no name,' medda fo, a chrechwenu.

Well i chdi watshiad be' wy' ti'n ei ddeud, sbargo, medda fi wrtha fi'n hun, neu mi fyddi di'n clywad sŵn môr yn dy glustia.

'Tel her ddat Bleddyn was lwcin ffor her,' medda fi.

Mi edrychodd o arna i, ac wedyn ar y goriad drws ffrynt oedd yn fy llaw i.

'Hold on!' medda fo. 'You're the one who used to live upstairs! You've been scre. . . you've been seeing my girlfriend! Give me that key. I don't want to see you round here again.'

'Not on iwar neli,' medda fi.

Mi gychwynnodd o amdana i. Mi roddais i'r goriad yn fy mhoced a chodi fy nyrna. 'Iw betyr stop reit ddêr,' medda fi, 'ynles ior teiyrd of lifing on yrth, or ynles ior feri cîn on bwyd hosbitol, bicôs ai'l sdyff ior hed reit yp ior ârs hôl.'

Mi droiodd o ar ei sowdwl, a chau'r drws yn glep ar ei ôl. Mam bach, doedd fawr ryfadd fod yr hogan wedi cymryd ffansi ata i. Pwy ddiawl fysa isio canlyn rhyw hen benci piwis fel yna?

25

Wrth i mi gerdded am y lle dôl, roedd ogla cwrw o ffacdri Brains yn llenwi'r awyr. Mi benderfynais i y bysa peint yn beth da. Mi fysa fo'n donic, ac mi fysa'n haws wynebu'r ffernols yn y lle dôl ar ôl yfed rhyw un neu ddau.

Ar ôl i mi godi peint, mi glywais i rywun yn gweiddi o ben draw'r bar: 'Hei Bleddyn, achan. Shwd wy' ti?' Roedd Steve yn sefyll yno, yn gwenu fel y gwanwyn. Mi es i draw ato fo, ac mi aeth y ddau ohonon ni i ista efo'n gilydd wrth fwrdd bach yn y gornel. Roedd ganddo fo fagia oedd yn llawn o boteli a rhyw fwydach.

'Beth sy'n dod â ti i'r dre 'eddi 'te, Bleddyn?'

'Isio mynd i'r lle dôl i nôl holidê ffôrm.'

'Beth? Ti'n mynd gartre dros y Nadolig?'

'Yndw, ond does genna i fawr o awydd, chwaith.'

'Pam na sefi di lawr fan hyn 'te? Ma' Gethin yn dod i dreulio'r Nadolig 'da fi. Ma' croeso i ti ddod 'ed.'

'Dwi'm 'di weld o ers diwrnodia. Wyddwn i ddim be' oedd o'n mynd i neud dros y Dolig.'

'O'dd e'n sefyll 'da fi nithwr a'r nosweth cynt.'

'Iesu, does 'na ddim mwy o hid ar hwnna na tin llo bach. Glywasd di be' 'nath o pan o'n i'n sâl?'

'Do, wedodd o wrtho i. O'dd e'n flin o bwyti 'na, cofia di, Bleddyn. Ond free spirit yw e, twel. So fe'n meddwl dim drwg. Ma' fe wastod wedi bod fel 'ny.'

'Wy' ti'n nabod o erstalwm, 'lly?'

'Odw odw, o'dd y ddoi o ni yn yr ysgol 'da'n gilydd—ni'n dod o'r un lle, twel Bleddyn. O'dd e'r un peth pryd 'ny—wastod yn jengyd neu'n mynd ar goll. Good guitar player, cofia di—blydi brilliant.'

'O, yndi.'

'Ond so fe'n defnyddio'i dalent, twel Bleddyn, dyna yw'r broblem. Ond 'na fe, so pawb 'run fath, sbo. So, beth ti'n meddwl 'te—ti'n moyn dod i sefyll 'da fi dros y Nadolig?'

'Wel diawl, ia, O.K. 'ta. Diolch yn fawr i chdi. Wy' ti isio i mi brynu rhywbath?'

'Alle' ti brynu cwpwl o boteli, os ti'n moyn. Ma' popeth arall 'da fi. Dere, yf hwnna lan, Bleddyn. A'i i nôl peint bach arall i ti.'

Ro'n i'n dechra cymryd at Steve, a rŵan, wrth i'r peintia fynd i lawr un ar ôl y llall, ro'n i'n cynhesu tuag ato fo bob gafael. Roedd o wedi darllan Jack Kerouak, ac mi ddywedodd o y byswn i'n cael menthyg llyfra ganddo fo—rhai da, medda fo. Roedd ganddo fo fwy o sgwrs na Gethin, ac roedd 'na fwy o fywyd ynddo fo rywsut. Roedd o'n deud fy enw i bob munud wrth siarad efo fi, ac roedd hynny'n plesio'n arw.

Mi fuon ni'n yfad yn reit solat tan stop tap, ac mi ddaru ni drefnu i gyfarfod yn y Claude am hannar awr wedi wyth, noson cyn Dolig.

Mi ffôniais i yr hen ddynas a deud wrthi 'mod i am aros yng Nghaerdydd dros Dolig. Doedd hi ddim fel tasa hi'n poeni ryw lawar. Roedd hi wedi bwcio'r bwrdd yn yr hotel bondigrybwyll. Chwara teg iddi hi, mi fysa hi'n cael llonydd i falu cachu efo fy nwy chwaer. Fyswn i ddim yno i droi'r drol 'run fath â byddwn i'n neud bob tro pan oeddan nhw'n dŵad adra. Druan o'r hen ddyn yn gorfod bihafio'n sidêt efo'r tair yna rownd y bwrdd mewn hotel, medda fi wrtha fi'n hun. Mi ddywedodd hi y bysa hi'n gyrru pres i mi yn lle presant. Mi ddywedais i 'mod i'n ei charu hi a'r hen ddyn. Mi ofynnodd hi a oeddwn i'n chwil.

26

Ddaeth Gethin ddim i'r fei. Roedd hi'n bnawn noswyl Dolig, ac ro'n i hannar ffordd drwy fflagyn o seidar pan ddaeth 'na gnoc ar y drws. Karen oedd yno. Roedd hi ar ei ffordd i'r Barri at ei chwaer, ond roedd hi wedi dŵad i ddeud ta-ta ac i roi presant i mi. Doeddwn i ddim wedi disgwyl cael presant. Doedd genna i ddim byd i'w roi iddi hi. Mi gynigiais i lymad o seidar iddi hi, ond mi wrthododd. Mi deimlais i'r presant cyn ei roi o ar y silff-ben-tân. Rhywbeth bach, meddal oedd o.

'Where's lityl Pît twdê?' medda fi, gan obeithio eu bod nhw wedi ei yrru o i'r llong fawr lle mae plant drwg yn bwyta bara sych ac yn yfad dŵr môr.

'He's at a friend's house. I'm going to pick him up on the way now. Aren't you going to open it?' medda hi, dan wenu.

'Ffaddyr Crusmas dysynt cỳm yntil twmoro,' medda fi.

'Go on,' medda hi, 'open it now.'

Mi rwygais i'r papur. Rhyw fath o drôns bach oedd o—un heb gefn arno fo, heblaw am ryw rimyn o linyn oedd i fod i fynd i rych tin rhywun—am wn i. Roedd 'na lun dynas Santa Clos heb fawr ddim amdani ar y ffrynt, a hannar owns o Golden Virginia a phacad o Rizzla wedi'u selo-tepio lle'r oedd fy nghwd i i fod. Mi ddechreuodd hi chwerthin dros bob man wrth i mi sbio ar y peth.

'What do you think of it?' medda hi.

'Feri neis, thanciw feri mytsh,' medda fi.

Wedyn mi dynnodd hi fusylto allan o'i phoced, a'i ddal o uwch fy mhen i.

'Come on,' medda hi.

Mi ddechreuon ni snogio'n ara deg. Mi afaelais i yn nwy foch ei thin hi a'i thynnu hi'n dynn tuag ata i. Ofn poetshio neu beidio, roedd hi'n codi awydd mwya diawledig arna i rŵan. Mi ddechreuais i godi ei jymper hi, ond mi dynnodd hi ei hun yn rhydd o 'ngafael i.

'I've got to go,' medda hi. 'See you when I come back?'

'Ies,' medda fi.

27

Mi es i i'r bàth ar ôl iddi hi fynd, molchi a chael gwared o'r codiad 'run pryd.

Mi gychwynnais i am y New Ely tua saith, gan feddwl y bysa 'na dipyn o hwyl Cymraeg yn y fan honno y noson cyn Dolig. Roedd hi'n ded yn y twll lle. Doedd 'na neb yno, heblaw am ryw dri neu bedwar o hogia oedd yn chwara cardia ar y bwrdd wrth y bar. Ro'n i wedi gweld y rheiny yno o'r blaen, ac roedd 'na rywbeth yn deud wrtha i eu bod nhw'n resudent yno, fwy neu lai, 'run fath â Dei Domino a Huwsyn yn y Chwain adra. Roedd 'na un ohonyn nhw'n gneud rhyw sŵn chwerthin mawr bob munud. Dwn i'm sut oedd o'n cael cymaint o hwyl, achos roedd y tri arall yn sbio arno fo fel lloea.

Mi ddaeth 'na foi i mewn drwy'r drws. Mi gododd o beint o meild, a sefyll wrth fy ochor i. Roedd ganddo fo locsan, ac roedd o'n gwisgo côt Êr Ffors fawr, 'run fath â fi. Roedd o fel tasa fo'n trio cuddio'i ben rhwng y ddwy golar fawr. Roedd 'na olwg sbei arno fo rywsut. Ro'n i'n trio peidio sbio arno fo, rhag ofn iddo fo feddwl fod 'na rywbeth yn rhyfadd yndda i, neu rhag ofn iddo fo fynd yn granclyd am fod genna i gôt 'run fath â fo. Mi ddechreuais i sbio ar lun y dyn bach oedd ar y wal— hwnnw oedd â golwg arno fo fel tasa fo wedi bod yn bwyta gwellt ei wely. Dyma fi'n meddwl y bysa cinio Dolig go lew yn gneud byd o les iddo fo, pan

ddywedodd y llais y tu ôl i mi: 'Ti'n 'i nabod o?'
'Nabod pwy?' medda fi.
'Y boi 'na yn y llun.'
'Nac'dw,' medda fi.
'Diolch i Dduw,' medda'r boi, a rhwbio'i drwyn yn ysgafn efo'i law dde, fel tasa fo'n swil. 'Saunders Lewis.'
'Be'?' medda fi.
'Saunders Lewis ydi'i enw fo. Ti'n gwbod rhwbath amdano fo?'
'Nac'dw i, Duw. Be' ydi o, archdderwydd neu rwbath, ia?'
Mi ddechreuodd y boi chwerthin, ond doedd o ddim yn chwerthin yn sbeitlyd.
'Na, dim cweit,' medda fo. 'Fyddi di'n dŵad yma'n amal?'
'Na, ddim felly.'
'Ffansi gêm fach o gardia efo'r hogia yn fan hyn?'
'Na, dim diolch. Dwi ar y ffor' draw i'r Claude.'
'Rywbryd eto, falla?'
'Ia,' medda fi.
Mi gerddodd o draw at y bwrdd lle'r oeddan nhw'n chwara cardia. Roedd o'n craffu arna i o'i sêt. Mi roddais i glec i 'mheint, a mynd allan i'r stryd. Ddywedodd y boi ddim be' oedd ei enw fo, a ddywedodd o ddim pwy oedd y Saunders Lewis 'na chwaith.
Roedd 'na dipyn mwy o fywyd yn y Claude, ond doedd 'na ddim golwg o Gethin na Steve. Ro'n i'n reit fodlon yno am sbelan, yn ista wrth fwrdd ar fy mhen fy hun bach, yn stydio coesa a thina merchaid canol oed ac yn trio dychmygu sut olwg oedd arnyn nhw heb eu dillad.
Tri pheint yn ddiweddarach, a hitha wedi naw o'r gloch, doedd 'na ddim golwg o'r diawlad; yr uwd a

redodd a'r llymru a gerddodd. Lle ar y ddaear oeddan nhw? Ro'n i'n piciad yn ôl ac ymlaen o'r bar i'r lownj bob yn hyn a hyn, ac ro'n i'n colli fy sêt bob tro. Ro'n i wedi cael llond bol o aros, a doeddwn i ddim yn cael blas ar y cwrw. Ro'n i'n teimlo'n annifyr am fy mod i ar fy mhen fy hun tra oedd pawb arall mewn cwmpeini, yn mwynhau eu hunain yn iawn, ac yn llawn o'r Crusmas spirut.

Mi es i allan i'r stryd ac ista ar wal fach yn ymyl y pỳb. Mi ddechreuais i ddifaru na fyswn i wedi cymryd gêm o gardia efo'r hogia 'na yn y New Ely. Roedd genna i fag plastig rhwng fy nghoesa efo pedair fflagyn o seidar ynddo fo. Ymhen hir a hwyr mi ddaeth 'na ddwy ddynas heibio yn eu dillad gora. Mi nabyddais i eu teip nhw'n syth bin, achos roeddan nhw'n drewi o ogla capal a pharchusrwydd. Mi edrychodd y ddwy i mewn i'r bag, ac wedyn arna i, cyn dechra taflu weips. Mi edrychais i drwyddyn nhw fel taen nhw ddim yno. Mae'n rhyfadd fel mae pobol fel 'na'n medru gneud i chi deimlo eich bod chi'n rêal comon-jac.

Ar ôl iddyn nhw fynd, mi sylwais i ar ddau blentyn bach mewn ffenast llofft tŷ ar draws y ffordd. Roedd un yn sugno'i fawd, a'r ddau ohonyn nhw'n sbio arna i. Roeddan nhw'n aros am Santa Clos. Mi fyddan nhw'n disgwyl hyd nes y bydd eu llygid nhw'n cau dan bwysa'r blino. Tŷ digon garw yr olwg oedd o—tebyg i'r un lle'r o'n i'n byw. Ond mae pawb yn cael rhyw fath o Ddolig—y bobol fawr a'r bobol dlawd. Cerddad i fyny staer efo hosan wlân fawr yr hen ddyn yn fy llaw. . . deffro. . . yr hosan yn wag. . . deffro eto cyn y wawr, teimlo dwy oran fawr, bagiad o dda-da, dinci toi, hancas bocad wen efo 'B' mawr mewn glas ar ei chornal hi. . .

Iesu, ro'n i'n dipresd.

. . . And here I sit so patiently,
Waiting to find out what price
You have to pay to get out of
Going through all these things twice.
Oh, Mama, can this really be the end,
To be stuck inside of Mobile
With the Memphis blues again.

Mi godais i'r bag a chychwyn i gyfeiriad Column Road. Doeddwn i ddim ond wedi cerdded cwta ddeg llath pan glywais i rywun yn canu: 'O deuwch ffyddloniaid, oll dan orfoleddu. . . ' Mi ddaeth Steve a Gethin rownd y gornal. Roeddan nhw'n chwil gachu. Mi blethodd y ddau eu breichia rownd fy sgwydda i a'n hebrwng i i mewn drwy ddrws y Claude.

28

Roedd 'na haul mawr yn yr awyr fora dydd Dolig. Roedd hi'n dda iawn ei weld o.

Roedd fflat Steve ar lawr canol tŷ mawr oedd ar ben ucha rhiw go serth. O ffenest y stafell lle'r oedd Gethin a finna wedi cysgu y noson gynt, ro'n i'n medru gweld brynia a choed yn y pellter. Roedd hi'n stafell braf.

Roedd Gethin yn dal i gysgu'n sownd, ac yn gyrru moch i Werddon. Chlywais i neb rioed yn gneud y ffashiwn sŵn wrth chwyrnu. Mi es i drwodd i'r gegin lle'r oedd Steve wrthi'n rhoi'r twrci yn y popty.

'Ble ma' fe O'Neill?' medda fo.

'Chwrnu.'

'Nosweth fowr nithwr.'

'Oedd, i chi'r diawlad.'

Mi wnaeth o banad o goffi i mi, cyn dechra rowlio joint ar y bwrdd. Roedd ganddo fo lwmpyn o stwff oedd cyn ddued â chlap o lo gora.

'Be' 'di hwnna?' medda fi.

'Nepalese Black, achan. Hwn yw'r stwff wi'n gal bob Nadolig.'

Mi aethon ni drwodd i stafell arall i smocio'r joint. Roedd 'na dair neu bedair o silffoedd yn llawn o lyfra ar un o'r walia.

'Ma' gen ti lot o lyfra yma,' medda fi.

'O's, ma' tipyn bach i gal 'ma.'

'Wy' ti wedi bod mewn coleg?'

'Do, bues i yn y Brifysgol, ond geso i fy nhaflu mas pan o'n i ar y flwyddyn ola.'

'Pam?'

'O, jesd whare ymbwyti—rhoi'r hostel ar dân a phethe fel 'ny. Ha ha ha!'

'Be' oedda' chdi'n neud yna?'

'Dim llawer! Ha ha ha! Na, llenyddieth Saesneg. Ond so' ti'n dysgi dim mewn coleg, twel. Ti'n dysgi popeth mas fan 'na ar y stryd. Ma' dros ddeg mlynedd ers i fi adel, ond sa'i wedi difaru dim. Ddysges i fwy mewn chwe mis ar ôl gadel na ddysges i tra bues i 'na. Cyfarfod pobol yw'r peth pwysig, twel. I ti'n moyn i fi recomendo llyfyr i ti?'

'Ia, O.K. ta.'

'Cymer hwn, ma' fe'n ddoniol.'

Mi roddodd o lyfr yn fy llaw i o'r enw *The Ginger Man,* gan J.P.Donleavy. Roedd y stwff du yn gry ddiawledig. Ro'n i wedi ei chael hi ar ôl smocio dim ond un joint. Mi roddodd Steve 'Dark Side of the Moon' ar y peiriant. '. . . you lock the door and throw away the key, there's someone in my head and it's not me. . . ' Mi ddechreuodd y ddau ohonon ni chwerthin.

Mi gododd Gethin ymhen rhyw hannar awr. Roedd 'na olwg fel drychiolaeth arno fo, ac roedd ei draed o'n drewi. Mi gymerodd o ddrag o joint roedd Steve newydd ei rowlio, cyn mynd i sefyll ar ei ben ynghanol y stafell. Roedd 'na bob math o nialwch yn disgyn allan o'i bocedi fo, yn union fel tasa rhywun yn ysgwyd ac yn gwagio sach.

'Be' wy' ti'n neud?' medda fi.

'Cal y circulation i witho,' medda fo.

'So'r pwr dab yn iawn,' medda Steve. 'So fe'n iawn o bell ffordd.'

Mi wnaeth Gethin symersolt, cyn helpu ei hun i lasiad o win. Roedd Steve a finna wedi gwagio un botal, ac roedd fy mhen i wedi dechra troi fel top.

'Reit, dere 'da fi i bilo'r tato, O'Neill,' medda Steve.

'Na, dim diolch.'

'Pam?'

'Sa'i'n galli.'

'Crist o'r nef.'

'Dydi o ddim yn medru berwi wy chwaith,' medda fi. 'Mi ddo i efo chdi.'

Mi ganodd y ffôn tra oeddan ni wrthi. Roedd Steve i'w weld yn falch iawn ohono fo'i hun ar ôl iddo fo roi'r risifyr i lawr. Roedd hi'n amlwg ei fod o wedi gneud points efo rhywun. Mi ddaeth Gethin drwodd i fusnesa a chodi caeada'r sosbenni er mwyn cael gweld be oedd ynddyn nhw, a ballu.

'Pwy o'dd ar y ffôn jesd nawr?' medda fo.

'Val.'

'Pwy, Valerie Rafferty?'

'Ie. Ma' hi'n moyn i fi fynd draw i'w gweld hi nes 'mlân. Fi a neb arall, O'Neill.'

'Bastard lwcus. Lecien i roi un i honne, 'ed.'

'Wel, so' ti'n mynd i—dim 'eddi ta beth. Ha ha.'

Mi gawson ni ginio tshiampion—cystal â fyswn i wedi ei gael yn unman arall. Ond doedd 'na ddim trimings, dim ond tatws a rhyw chydig o lysia, a jobeidia o refi neis. Roedd Steve ar biga'r drain isio mynd i weld yr hogan. Roedd o wedi claddu ei fwyd mewn chwinciad chwannan. Mi ollyngodd o ddwy neu dair rhech, a deud fod 'na groeso i ni helpu ein hunain i unrhyw beth roeddan ni isio, cyn rhuthro allan drwy'r drws.

Mi aeth Gethin yn flin i gyd ar ôl i Steve fynd.

Roedd o'n gwarafun y ffaith fod hwnnw'n cael tamad ar bnawn Dolig, a hynny efo diawl o beth handi, yn ôl pob tebyg. Ro'n i'n ama mai nid yr hogan oedd y broblem, ond y ffaith ei fod o isio cwmpeini Steve.

Wedyn, mi ddechreuodd o sôn am yr amseroedd pan oedd Steve wedi gneud tro gwael efo fo. Ond gan 'mod i'n gwybod, o brofiad chwerw, nad Gethin oedd y boi mwya dibynadwy o dan haul, mi ges i lond bol ar wrando arno fo, a mynd drwodd i'r llofft efo fy llyfr. Mi ddarllenais i ddwy dudalen, cyn mynd i gysgu'n sownd.

Roedd hi'n dywyll bitsh pan ddeffrais i. Mi godais i a sefyll yn nrws y stafell lle'r oedd Gethin yn chwara ei gitâr ac yn canu a'i lygid ar gau:

> 'Dos, cwsg yn awr tra bo'r tonnau yn dy wefusau,
> Paid ymladd mwy tra bo'r machlud yn dy ruddiau,
> Rhaid i mi droi yn ôl—
> Gweld y byd yn mynd mor ffôl—
> Os tyrr y wawr daw goleuni, a dychwelaf.
>
> Dos, cwsg yn awr, gwell yw dianc na galaru,
> Dos yng nghwmni'r awel, nid yw'r ddaear yn dy garu,
> Rwy'n myned ar fy hynt—
> Bradychu llef y gwynt—
> Os tyrr y wawr daw goleuni, a dychwelaf. . '

Roedd 'na resiad o fflagyns Brains Dark gwag fel ffendar o gwmpas ei draed. Doedd o ddim yn gwybod 'mod i'n sefyll yno. Roedd 'na rywbeth yn drist yn yr olygfa rywsut, roedd o fel tae o wedi dianc i ryw fyd arall lle roedd hi'n dawel, braf:

'Dos, cwsg yn awr cyn dod orig y gyflafan,
Dos yn swyn fy nghân cyn im adael wrth fy hunan,
Rwy'n mynd i fyd o hedd
Lle ni chlywir min y cledd,
Os tyrr y wawr daw goleuni, a dychwelaf.

Dos, gwyn dy fyd, draw i ryddid dy orwelion,
Cwsg, ond gwranda hyn, dal yn dynn yn dy freuddwydion,
Mae'r glaswellt dan fy nhraed
Yn ofni blas y gwaed,
Os tyrr y wawr daw goleuni, a dychwelaf.'

Mi agorodd ei lygid a 'ngweld i'n sefyll yno. . .

'Bleddyn achan, i ti'n ôl 'da ni unweth 'to. Nadolig llawen a blwyddyn newydd dda i ti, ac i bawb sy' yn y tŷ!' Roedd o wedi ei chael hi.

''Run fath i chditha,' medda fi. Mi agorais i botal a llenwi fy ngwydr. 'Dim golwg o Steve?'

'Na, weli di mohono fe tan fory nawr. Ma' fe'n siŵr o fod wedi cal lle da 'da honne.'

'Faint o'r gloch 'di hi?'

'Bythdi hanner awr wedi naw.'

'Peth od na fasa chdi wedi mynd am beint.'

'Sdim lot o arian 'da fi.'

''Sgenna i ddim llawar chwaith. Cana gân arall i mi.'

'Beth ti'n moyn glywed?'

'"The Times They Are A-Changing".'

Mi es i i 'ngwely tua hanner nos, ond doeddwn i ddim yn medru cysgu. Mi ddaeth Gethin i mewn i'r stafell yn fuan ar f'ôl i. Roedd 'na ddwy fatras ar y llawr, ac ro'n i'n medru ei weld o'n bustachu wrth drio mynd i mewn i'w sach gysgu.

'Bleddyn? Ti'n effro?'
'Yndw.'
''Na Nadolig arall wedi mynd h'ibo.'
'Ia.'
'Diwrnod yw e fel pob diwrnod arall, twel.'
'Ia. Dwi 'di sylweddoli hynny am y tro cynta heddiw.'
'Ti'n credu mewn Duw?'
'Dwn i'm. Wy' ti?'
'Wi'n credu fod rhywbeth mas 'na—rhywbeth sy'n gyfrifol am hyn i gyd. Ond sda fi ddim i weid wrth grefydd. Does gan neb fonopoli ar y gwirionedd, twel. Beth bynnag yw'r gwirionedd.'
Doeddwn i ddim yn siŵr be' oedd ganddo fo dan sylw. Doedd genna i ddim mynadd gofyn. Ro'n i wedi dechra meddwl am adra, ac am y ffaith 'mod i efo'r boi yma mewn stafell yng Nghaerdydd ar noson Dolig. Ro'n i ar goll rywsut.
'Ti'n iawn,' medda fi. Ro'n i isio llonydd i feddwl.
'Bleddyn?'
'Ia?'
'Ti'n moyn mynd i gysgu?'
'Yndw.'
'Wi jest isie gweud un peth.'
'Be'?'
'Wi'n falch taw ti dda'th i rannu'r fflat 'da fi. Ti'n hen foi ffein.'
'Ti'n hen foi iawn, yfyd.'
Roedd hi'n noson dawel. Doedd 'na brin ddim sŵn traffig i'w glywed.
'Bleddyn?'
'Be' rŵan?'
'Wi'n moyn menyw. Wi'n moyn menyw frwnt.'
Doeddwn i ddim wedi gyrru cardyn Dolig i neb. Mi ddechreuodd Gethin chwyrnu'n uchel. Mi

godais i a sefyll wrth y ffenast. Roedd 'na leuad a sêr. Ro'n i'n bell o adra. Mi gofiais i englyn roedd Yncl Dic wedi ei ddysgu imi unwaith, pan oeddan ni'n cerdded i lawr o'r Graig Wen, yn hwyr un noson o haf:

Y nos dywell yn distewi—caddug
Yn cuddio Eryri;
Yr haul yng ngwely'r heli,
A'r lloer yn ariannu'r lli.

Wedyn, mi glywais i ei lais o'n deud: 'Wnaiff o ddim drwg i chdi fynd i ffwr' am dipyn, wsdi washi, er mwyn i chdi gal gweld dipyn o'r hen fyd 'ma. Mi fydd yr hen le 'ma'n dal yma pan ddoi di'n ôl, wsdi.'

Sud hwyl oedd ar bawb yn yr hen le, tybad? Mi es i'n f'ôl at y fatras, swatio yn fy sach, a gwrando ar sŵn Gethin yn chwyrnu.

29

Pan ddeffrais i'r bore wedyn, roedd Gethin wedi diflannu, a'r tun baco a'r gitâr wedi mynd hefyd.

Mi arhosais i yn fy ngwely a dechra darllan *The Ginger Man*. Roedd o'n un da ar y naw—hanas rhyw Wyddal mewn rhyw draffarth neu'i gilydd rownd y rîl.

Mi ddaeth Steve yn ei ôl rywbryd yn ystod y pnawn. Roedd 'na olwg fel tasa fo wedi hario arno fo. Roedd o angen chydig o seibiant, medda fo, ac roedd o'n cychwyn am rywle roedd o'n ei alw'n Orllewin ac am aros yno am dridia neu fwy. Doeddwn i ddim yn gwybod lle oedd y Gorllewin 'ma roedd o'n sôn amdano fo, ond wnes i ddim gofyn iddo fo, rhag ofn iddo fo feddwl 'mod i'n dwp. Mi ddywedodd o fod 'na groeso i mi aros lle'r o'n i. A dyna wnes i.

Dim ond dwywaith y bues i allan o'r tŷ yn ystod y tridia y treuliais i yno—unwaith i nôl rhagor o faco, a'r tro arall i brynu pacad o jips. Rhwng y stafell braf, yr olygfa o'r ffenast, y tawelwch, a'r 'Ginger Man', ro'n i'n hollol hapus fy myd.

30

Pan es i'n ôl i Column Road, roedd Gethin yn ei wely efo hogan reit lysti yr olwg.

'Ma' hi wedi bod yn whilo amdano' ti,' medda fo.

'Pwy?'

'Y hi lan stâr—Karen.'

'Be' ma' hi isio?'

'Ti sy'n gwbod 'na. Ha ha!'

Tra oedd o'n siarad, roedd o'n tynnu'r cynfas i lawr yn is ac yn is er mwyn dangos bronna'r hogan i mi; roeddan nhw'n anfarth. Roedd ganddo fo wên lydan, reit ar draws ei wyneb.

'Be' haru chdi?' medda fi. 'Wy' ti isio biscet neu rwbath?'

'Beth?' medda fo.

'Dim byd,' medda fi.

'Wel? Ti'n mynd lan 'na?'

'Dwn i'm,' medda fi.

Mi es i drwodd i'r stafell arall a thanio ffag. Doeddwn i ddim yn gwybod be' i'w neud. Roedd 'na un llais bach yn deud na, paid â dechra poetshio efo hi, ac roedd 'na lais bach arall yn deud—dos i'r afael efo hi'r funud 'ma. Mi gofiais i fel roeddan ni wedi bod yn snogio pnawn cyn Dolig. Oedd, roedd rhaid i mi fynd. Doedd genna i unlle arall i fynd, beth bynnag. Fedrwn i ddim aros yn y fan honno'n gwrando ar Gethin a'r hogan 'na'n perfformio. Mi

es i am y drws.
'Ti'n mynd lan neu mas?' medda Gethin.
'Meindia dy fusnas,' medda fi.
'Cofia fi at y dyn bach yn y cwch, sa'i wedi'i weld e ers ache. Ha ha ha ha! O, by the way, Bleddyn, this is Diane. Diane, this is Bleddyn—he shares the fflat with me.'
'Helô, Diane.'
'Hello, Bleddyn.'
'Pleased to meet you, meat to please you,' medda fi wrtha fi'n hun wrth gychwyn i fyny staer.
'Come in, it's open,' medda'r llais ar ôl i mi gnocio. Roedd hi'n ista ar y llawr yn smocio joint ac yn gwrando ar Simon and Garfunkel. Roedd 'na un gannwyll ar gwpwrdd, ac un arall ar fwrdd bach, roedd y tân nwy i fyny ffwl blast.
'Hi,' medda hi.
'Haia,' medda fi. 'Gethin sed iw wer lwcing ffor mi. Is dder enithing ai can dŵ ffor iw?'
'No, well, perhaps. . . I just wanted to know how you were.'
Mi eisteddais i i lawr gyferbyn â hi.
'Wher's lityl Pît?' medda fi, wrth sylwi nad oedd 'na ddim golwg ohono fo, na'r un smic o'i hen sŵn o i'w glywed, chwaith.
'I've left him with my sister. He'll be there for another week.'
Gobeithio fod ganddi hi wialan fedw, medda fi wrtha fi'n hun. Ro'n i wedi ama fod 'na rywbeth yn wahanol yn Karen pan es i i mewn i'r stafell, ond wyddwn i ddim be'. Yna mi sylwais i ei bod hi wedi gneud rhywbeth i'w gwallt; roedd hi'n edrych yn lot gwell.
'Iw'f tshenjd ior hêr,' medda fi.
'Yes, my sister did it for me. Do you like it?'
'Ies, feri neis.'

Mi gododd hi, a throi'r record drosodd. Roedd ei thin hi'n edrych yn dda; ro'n i isio rhoi fy llaw i arno fo. Mi ges i godiad. Ro'n i'n teimlo fel stalwyn. Mi ddaeth hi i ista wrth fy ochor i.

'It's nice to have a bit of peace and quiet,' medda hi. 'It's a bit awkward when little Pete's around, bless his soul. I'm glad you came.'

Doeddwn i ddim wedi dŵad eto, ond doeddwn i ddim yn bell. Ro'n i isio iddi hi neud y symudiad cynta. Fuo dim rhaid i mi aros yn hir. Mi afaelodd hi yn fy llaw i, ac wedyn yn fy ngwddw i. Tra oeddan ni'n cusanu, mi agorodd hi ei blows a dangos ei bronna i mi. Mi gododd y ddau ohonon ni ar ein traed, a dechra tynnu dillad ein gilydd; roedd hi'n wlyb socian.

Yna mi ddilynais i'r tin drwodd i'r stafell lle'r oedd y gwely. Mi ddechreuais i ei chusanu hi eto ar y gwely. Ro'n i isio chwara o gwmpas am dipyn ond mi glymodd hi ei thraed rownd fy ngwddw i a 'nhynnu i i mewn, loc, stoc and baryl. Roedd hi'n gry fel arth. Roedd hi'n mynd i fod yn noson hir.

31

Mi fues i i fyny yno bron bob nos am bythefnos, nes ro'n i wedi blino'n lân. Os nad oeddwn i'n mynd i fyny yno, roedd hi'n dŵad i chwilio amdana i. Ro'n i wedi mynd mor wantan nes prin 'mod i'n medru cau fy nghareia. Roedd gen i ryw boen yn fy mol rownd y rîl, ac ro'n i'n meddwl 'mod i wedi cael hyrnia neu rywbeth. Wnâi hi ddim gadel llonydd i mi, hyd yn oed wedi i lityl Pît ddŵad yn ei ôl adra o'i holidê. Yn amal iawn, roedd o'n deffro yn y nos ac yn gofyn i'w fam am ddiod o bop a biscet, pan oeddwn i ar ei chefn hi, neu hi ar fy nghefn i (fel oedd yn digwydd yn amal iawn ar ôl i mi ddechra llesgáu). Doedd y peth yn poeni dim arni hi, ond ro'n i'n teimlo'n giami iawn ynghylch yr holl fusnas; doedd y peth ddim yn iawn, siŵr Dduw. Mi ddechreuais i ddifaru fy enaid. Roedd yn rhaid i mi roi stop ar y prosidings. Ond sut? Dyna oedd y broblem.

32

Un diwrnod, mi es i draw i Glyn Rhondda Street i chwilio am fy mhres. Ro'n i'n meddwl yn siŵr y bysa fo wedi cyrraedd erbyn hyn. Ond y fath siom—doedd 'na'r un llythyr yno i mi. Y bastads, medda fi wrtha fi'n hun. Y blydi bastads. Doeddan nhw ddim yn bwriadu talu'r pres i mi yn y lle cynta. Tric oedd yr holl beth; roedd y copar Cymraeg 'na wedi fy nhwyllo i. Mi edrychais i ar ddrws fflat Nerys. Tybad? Tybad oedd hi wedi cadw'r llythyr? Mi es i at y drws a chlustfeinio, rhag ofn fod yr hen foi 'na yno efo hi. Roedd y weiarles yn canu, ond fedrwn i ddim clywed neb yn siarad. Mi gnociais i fy nghnoc, ac mi ddaeth Nerys i'r drws a lluchio ei breichia amdana i.

'Bleddyn!' medda hi. 'I haven't seen you for months. Where have you been?'

'Ai'f bin hiyr lwcing ffor iw plenti of teims, but iw wer owt efri teim.'

'Would you like some coffee?'

Roedd hi'n edrych yn dda, yn dda iawn. Roedd hi'n smartiach hogan o lawar na Karen.

'Ai don't sypôs iw'f got e letyr ffor mi?' medda fi, a gneud fy hun yn gyfforddus yn y gadair.

'Yes, I have. Here it is,' medda hi, ac estyn yr amlen i mi. Mam bach, mi fuo bron i mi â thagu. Roedd 'na siec gwerth hannar canpunt ynddi hi. Cân di bennill fwyn i'th nain, mi ganith Nain i chditha, medda fi wrtha fi'n hun.

'When did ddis areif?' medda fi.

'Oh, let me think now, it must have come a few weeks ago,' medda hi, wrth dywallt y paneidia.

'Biffôr Crusmas?'

'Ym. . . yes, probably before Christmas.'

'Ddis is feri important, iw nô, ddis letyr. Whai didynt iw lîf it bai ddy ffrynt dôr? Or whai didynt iw bring it tw mi?'

'I'd forgotten your address. I walked up and down Column Road several times, in the hope that seeing a number would jog my memory. I also thought I might bump into you somewhere, but I couldn't find the house, and I didn't see you. Why is it so important? What is it?'

'O. . . ym. . . nything. . . ym. . . feri preifet and conffidenshial.'

'It's nice to see you again,' medda hi. 'I've missed you.'

'Neis tw si iw, as wel,' medda fi.

Mi ddechreuodd hi chwerthin. Ro'n i'n deall y gêm yn iawn. Roedd hi wedi cadw'r llythyr er mwyn iddi hi gael cyfle i 'ngweld i. Roedd hi'n gwybod yn iawn y byswn i'n mynd yno i chwilio amdano fo. Fwy na thebyg ei bod hi'n gwybod be' oedd o hefyd. Mi ddaeth hi i ista ar fy nglin i, a dechra rhedeg ei llaw drwy 'ngwallt i.

'Ai'l haf tw go now,' medda fi.

'What's the matter? What's the hurry? You can stay for a while, can't you? I want to know what you've been up to.'

'What iff hi cyms hiyr?' medda fi.

'Who?'

'Ior boiffrend.'

'My boyfriend?'

'Ies, ior boiffrend. Hi cêm tw ddy dôr ddy lasd

teim ai cêm hiyr. Hi sed hi was going yp to Colwyn Bê tw si iw.'

Mi ddisgynnodd ei llygid hi, ac mi ddechreuodd hi droi modrwy rownd a rownd ar un bys.

'Oh,' medda hi, 'so you saw Nigel, did you? He didn't say anything, but, then again, I don't suppose he would. He's a bit of a problem, really. Take your coat off and I'll try and explain.'

Doeddwn i ddim wirioneddol isio gwybod, ond mi dynnais i 'nghôt, i'r diawl, achos doedd genna i ddim byd arall i neud. Mi ddaeth hi'n ôl i ista ar fy nglin i a chyrlio i fyny, 'run fath â rhyw hen gath fawr.

'The thing is, you see, Nigel and I used to go out together. We were quite serious at one stage, but then I got bored with him. I've been trying to get rid of him ever since, but he won't take no for an answer; it's very difficult. The fact that Mummy and Daddy have taken a liking to him hasn't helped the situation, either. Nigel's studying law, you see, and that goes down very well at our house. My parents have met his parents—very wealthy, very civilized, and all that. The whole situation has just mushroomed around me, somehow, without me being a part of it. I played the game for a while thinking he'd get bored, or that perhaps he'd find someone else. But he seems to be hell bent on keeping a hold on me. I don't know what to do.'

'Is that whai iw tôld him abowt mi?'

'Yes. I'm sorry.'

Mi ddechreuodd hi neud sŵn crio.

'It's ôl-reit. Byt dder myst bi symthing iw can dŵ abowt it?'

'I'll be leaving Cardiff in May. He's already been offered a place to train with a firm down here. Maybe that'll put an end to it.'

'Whêr wil iw go?'
'Back to Colwyn Bay, until I find a job, or something. I wouldn't mind staying up there, actually. Are you going to go back to North Wales?'
'Ies, sym teim, probabli.'
'I might see you up there.'
'Pyrhaps.'
Mi ddechreuodd hi chwara efo 'ngwallt i eto. Roedd hi'n gwenu rŵan.
'Can I wash it for you?' medda hi.
'Wash what?'
'Your hair—it's all greasy. It doesn't suit you.'
Y drugaredd fawr!
'What iff hi cyms hiyr?'
'He won't. Come on, take your shirt off. I'll wash it here in the sink. I've got some nice shampoo.'
Mi olchodd hi fy ngwallt i, a'i sychu o efo peiriant bach swnllyd. Wedyn, mi ddechreuodd hi redeg ei dwylo i fyny ac i lawr fy 'senna i, ac ar draws fy mol i. Roedd 'na sgŵd ar y cardia; ro'n i wedi synhwyro hynny ers meitin.
'Shall we?' medda hi.
'Ies,' medda fi.
Ches i fawr o flas arno fo. Ro'n i wedi dechra meddwl am bob math o betha, fel be' ro'n i'n mynd i neud efo'r pres a ballu, yn lle meddwl amdani hi. Doeddwn i ddim yn medru canolbwyntio ar y job. Roedd hi isio swshian a ballu ar ôl inni orffan, ond doedd genna i ddim mynadd. Mi gododd hi i neud panad, ac roedd hi'n hwmian canu tra oedd hi wrthi. Roedd y sgŵd wedi gneud mwy o les iddi hi nag i mi.
Wrth orwedd yn y gwely mi gofiais i'n sydyn am eiria'r hen ddynas: 'Cofia wisgo ffrensh-letar os ei di i'r gwely efo hogan.' Y nefi wen, doeddwn i ddim wedi gwisgo dim byd o'r fath efo hon nac efo

Karen. Mae'n rhaid eu bod nhw ar y smartis neu rywbeth. Doedd Karen ddim isio bastad bach arall o gwmpas ei thraed; er, doeddwn i ddim yn siŵr am hon chwaith, wrth ystyried y sefyllfa roedd hi ynddi. Mi ddechreuais i boeni. Doedd 'na ddim byd ond trwbwl i'w gael wrth boetshio efo merchaid. Pan oeddwn i'n byw adra, ro'n i'n ysu am gael mynd allan efo hogan rownd y rîl, ac ro'n i heb 'run y rhan fwya o'r amsar. Ro'n i wedi ffeindio dwy yng Nghaerdydd, ond roedd 'na broblem efo'r ddwy, hefyd. Doedd 'na ddim dyfodol efo hon. Fyswn i ddim yn cael dim byd ond helynt efo'r Nigel granclyd 'na, a'i mam a'i thad hi a phawb arall. Falla nad oedd hi ddim isio hynny, prun bynnag. Falla mai dim ond isio cwmpeini, 'run fath â ni i gyd roedd hi. Mi ddaeth hi â'r ddwy banad i'r gwely.

'Ai'l haf tw go in e minit,' medda fi.

'O.K. Will you come and see me soon?'

'Dŵ iw want mi tw?'

'Yes.'

'O.K.'

'Bleddyn?'

'Ies?'

'Are you ever confused?'

'What dŵ iw mîn?'

'Well, you know, about life, about what we're supposed to be doing here, about where we're going, about what all this is supposed to mean.'

'Ies, ôl ddy teim. Ai don't nô wedder ai'm cyming or going. Ai don't nô what ai'm dwing halff ddy teim.'

'Perhaps it's just this—you know, this moment, this that's happening now, taking every hour as it comes.'

'Pyrhaps.'

Roedd hi'n gneud sens rywsut, ond roedd hi'n

dibynnu lle'r oedd rhywun, a be' roedd o'n ei neud ar yr awr honno. Mi ddechreuais i deimlo'n dip-resd. Ro'n i wedi ffwndro braidd. Mi wisgais i fy nillad, a'i chusanu hi.

Mi edrychais i o gwmpas y stafell, fel taswn i'n chwilio am rywbeth. Ro'n i'n sefyll ar ganol y llawr yn crafu fy mhen.

'What are you looking for, Bleddyn?'

'Ai don't nô.' Na, doeddwn i ddim wedi gadel dim. Roedd yr amlen yn fy mhocad i, roedd fy nghôt i ar fy nghefn i. 'Thanciw ffor eferithing.'

'Goodbye, Bleddyn.'

'Ta-ta.'

Mi gaeais i'r drws y tu ôl i mi.

33

Mi benderfynais i mai'r ffordd ora i wario cregyn heddwch y copar Cymraeg fydda eu defnyddio nhw i brynu rhyw chydig o ddillad newydd. Ro'n i wirioneddol angen pâr o jîns, jaced, a rhyw grys neu ddau.

Yn y siop gynta yr es i iddi hi, mi ddaeth 'na ddwy hogan ata i a gofyn imi a oeddwn i isio help. Roedd y ddwy ohonyn nhw'n betha handi ar y naw. Chwara teg iddyn nhw am fod mor glên, medda fi wrtha fi'n hun, ond doedd 'na ddim yn cymryd fy ffansi i yn y siop.

Yn yr ail siop, mi anelodd 'na ddau foi amdana i, deud wrtha i be' oedd eu henwa, a gofyn a oedd 'na rywbeth y medren nhw ei neud i fy helpu i. Roedd y ddau ohonyn nhw'n drewi o ogla sent. Mi droiais i ar fy sowdwl a cherdded allan i'r stryd. Mi ddigwyddodd yr un peth yn union eto yn y drydedd siop yr es i iddi—hogyn a hogan y tro yma yn fy hebrwng i i mewn, a gofyn fyswn i'n licio trio'r peth yma a'r peth arall.

Ro'n i'n dechra cael y myll. Pam ddiawl na fetsan nhw adal llonydd i rywun gael sbec bach wrth ei bwysa, yn lle bod yn sownd wrth sodla rhywun bob munud? Ro'n i wedi dechra mynd yn nyrfys rec. Ro'n i'n chwys doman ac yn gorfod edrych i mewn drwy ffenast bob siop, rhag ofn fod 'na rywun yn cicio ei sodla yno, ac yn aros ei gyfle i neidio arna i unwaith y byswn i wedi rhoi fy nhraed dros y trothwy.

Doedd 'na unlle call i rywun fynd i dynnu ei drywsus yn yr hen siopa 'ma chwaith, dim ond rhyw hen focsys bach efo cyrtans fflimsi, neu ddrysa bach pren 'run fath â drysa pỳbs mewn ffilms cowbois.

Mi gefais i blwc o hiraeth wrth feddwl am barlwr bach Doris Taylor, Liverpool House. Roedd Doris yn slashiar handi ganol oed, ac roedd Sei, Banjo, Milc Shêc a finna wedi bod yn obsesd efo hi er pan oeddan ni wedi bwrw ein capia. Pan oedd dyn isio trio pâr o drywsus neu ddynas isio trio ffrog, roedd Doris yn arfer eu gyrru nhw i'r parlwr bach i newid. Roedd rhywun yn medru cloi'r drws o'r tu mewn, rhag iddo fo, neu hi, gael ei styrbio.

Un pnawn o haf, ar ôl i ni yfed fflagyn o seidar a phump o boteli Baby-Cham mam Milc Shêc, mi benderfynodd Sei, Milc a finna y bysan ni'n mynd i Liverpool House a gofyn i Doris am gael trio pâr o jîns bob un. Doedd gan 'run ohonon ni ddigon o bres, ond roedd meddwl am gael mynd yno yn codi awydd ar y tri ohonon ni, a doedd gennan ni ddim byd arall i' neud.

Mi sbiodd Doris yn amheus arnan ni, ond mi adawodd hi i ni fynd drwodd i'r parlwr bach i drio pâr bob un. Unwaith roeddan ni wedi cloi'r drws, dyma ni'n tynnu'n trywsusa a dechra rhwbio'n hunain yn erbyn y dodrefn a ballu. Ond, fel arfer, mi ddechreuodd Milc Shêc golli arno fo'i hun, a mynd dros ben llestri.

Roedd mei nabs isio mynd i fyny staer er mwyn cael mynd drwy betha Doris. Mi ddaru ni lwyddo i'w berswadio fo i beidio mynd i'r fan honno, ond mi gafodd o afael ar un o sgarffia Doris, oedd yn drewi o ogla sent. Roedd o'n ei hogleuo hi am sbelan go lew. Wedyn, dyma fo'n ei stwffio hi i lawr ei drôns, a dechra gneud rhyw hen sŵn gwirion. Mi neidiodd o ar y soffa, dechra pwnio ffwl sbîd, a gweiddi:

'Doris, blydi hel Doris, o Doris, Doris Doris. . . '

Mi ddaeth Doris at y drws tra oedd Sei a finna'n gwisgo ein trywsusa, a gofyn be' gythral oedd yn mynd ymlaen. Mi ddywedais i wrthi mewn llais crynedig fod Milc wedi troi ei droed, tra oedd y diawl gwirion hwnnw'n deud: 'Na, na, deud wrthi 'mod i wedi dal 'y nghoc yn y sip. Deud wrthi am ddŵad yma i'w chael hi'n rhydd. . . '

Mi ddaru ni lwyddo i'w gael o o'no yn y diwedd, ond byw neu farw, roedd rhaid iddo fo gael mynd â'r sgarff efo fo. Pan oeddan ni ar ein ffordd allan, mi sbiodd Doris ar Sei a finna, ac yna ar Milc Shêc, ac medda hi: 'Ma' hwnna'n llond ei groen, ond dowt gen i os ydi o'n llawn llathan'. Doedd hi ddim yn bell ohoni.

Ar ôl cerdded, straffaglio a chwysu am gryn ddwyawr, ro'n i wedi llwyddo i brynu pâr o jîns, jaced ysgafn, dau drôns, dau bâr o sana, a phâr o fêsbol bŵts reit smêc. O leia roedd genna i rywbeth i'w wisgo. Roedd hynny'n well na piso'r pres yn erbyn y cloddia.

Wrth i mi gerdded tua phen ucha Queen Street mi glywn i ryw dwrw mawr, a sŵn pobol yn llafarganu. Wrth i mi nesáu at geg y ffordd, roedd y sŵn i'w glywed yn uwch ac yn uwch. Yna, mi welais i resiad o gopars. . . twr o faneri. . . a blydi hels bels. . . CYMDEITHAS YR IAITH! Mi fagiais i yn f'ôl mewn panig, a sathru troed rhyw foi mawr, tal, oedd yn sefyll y tu ôl i mi, efo papur newydd o dan ei gesail. Wedi i mi ddeud 'feri sori', mi ddywedodd o:

'There they go, they're on the march again. Them's the Welsh Language Society, them are—

Cwmdethas ir Ieth Cwmrâg. Mind you, you can't fault them, really. I mean, we should all be able to speak the lingo, shouldn't we—it's our heritage, isn't it. We should never have lost it in the first place. That's what I thinks anyway. Mind you, Cardiff's never been very Welsh, see. No, you've got a mixture down here, see, it's full of liquorice all sorts, Cardiff is, ha ha ha! But we get on all right together, like a big happy family. My Gran could speak Welsh, see. We used to call her Nain, we did, that's Welsh for Grandmother, that is. She was from Anglesey, she was. They've got a big copper mine up there that's called Paris Mountain. I've never been to Anglesey, but I wouldn't mind going up there to have a look at the mine. Mines are very interesting places. What I can't understand about the Welsh though, especially the North Walians, is why they keeps on sayin' "io" after everything. Know what I mean?'

Mi ysgydwais i fy mhen.

'Well, you take this bloke who lives next door to me now—Welsh speakin', he is—works for the B.B.C., like. Well him and his missus, like, they comes back to the house the other night—he'd taken her out for a driving lesson, see. Well, they comes back and he's in a hell of a bad mood—effin' and blindin' like nobody's business—everything must have gone wrong, like. Mind you, I'm not surprised, she's a silly cow, she is — won't talk to my missus—bit of a snob, like, just because her old man works for the B.B.C. Anyhow, he keeps on shouting things like: drive-io, park-io, indicate-io, break-io, pass-io, and stop-io. Like a bleedin' donkey, he was! Dead funny it was, an' all. You've got to laugh, like, ha ha ha! I wonder what he says when he wants to, you know, 'ave his leg over like! Ha ha ha, ha ha ha ha!'

Dyna un peth da am Gaerdydd—roedd 'na ryw hen gono wastad yn fodlon malu cachu efo chi, a rhoi ei farn ei hun ar y byd a'i betha.

Roedd hi'n chwithig gweld Cymdeithas yr Iaith yn martshio i lawr y ffordd fel yna. Falla y dylwn i fod efo nhw, medda fi wrtha fi'n hun. Roedd yr hen foi yn llygad ei le, wrth gwrs. Mi ddylia pob Cymro fedru siarad Cymraeg. Ro'n i wedi gweld rhai o griw y New Ely ynghanol y protesdwyr—rhai oedd wedi troi eu trwynau arna i pan oeddwn i wedi trio codi sgwrs efo nhw. Be' oedd y pwynt mewn protesdio dros yr iaith os nad oeddan nhw'n medru siarad Cymraeg efo Cymro fel fi, oedd yn bell i ffwrdd o adra? Dydi iaith yn da i ddim os 'wnaiff pobol ddim ei defnyddio hi i siarad efo'i gilydd.

Pan o'n i'n cerdded drwy'r farchnad ac yn anelu am ddrws Smôc Rŵm yr Old Arcade, mi glywais i rywun yn gweiddi: 'Hei Bleddyn, achan. Ble ti'n mynd ar shwd gymint o hast?' Roedd Steve yn ista ar y grisia yn bwyta brechdan.

'Sud ma' petha? Diolch i chdi am adal i mi aros yn y fflat.'

'Croeso. Lle ti'n mynd?'

'Meddwl mynd am beint i'r Old Arcade.'

'Sa funed, ddo i 'da ti nawr.'

Mi orffennodd o'i frechdan, a sychu ei gweddillion hi oddi ar ei fwstash efo'i hancas bocad.

'Be' wy' ti'n neud efo chdi dy hun y dyddia 'ma?' medda fi.

'Wi newydd gal jobyn newydd w'thnos hon—gwerthu office equipment. Ma' nhw'n ala fi bant ar gwrs w'thnos nesa. 'Sen i byth yn galli bod fel Gethin, twel, ma'n rhaid i fi gal arian i brynu pethach, ac i redeg y car. Wi'n enjoio prynu a gwerthu. Ti'n cwrdd â lot o wahanol bobol. Ti'n cwrdd â lot o fenywod, 'ed.'

Roedd 'na ryw ysbryd yn byrlymu drwy Steve, ac roedd ganddo fo wastad ryw stori i'w deud. Wedi i ni gael ein peintia, a mynd i ista wrth un o'r byrdda, mi ddechreuodd o arni:

'Ti'n moyn clywed stori, Bleddyn? Wel, g'randa ar hyn nawr 'te, jesd g'randa ar hyn. O'n i yn y parti hyn pa nosweth, reit, o'dd y fenyw hyn yno—bythdi fforti—yffarn o bishen. Wel, o'dd hi'n drychid arno i trwy'r amser, twel, so es i draw i gal gair 'da hi—bwlshitan, twel. O'dd popeth yn mynd yn ffein, pan ofynnodd hi beth o'n i'n neud, twel, Bleddyn, so wedes i wrtho hi taw glöwr o'n i. Sai'n gwybod pam yffarn wedes i 'na. 'Na'r peth cynta ddath mas o 'mhen i. Oleuodd ei hwyneb hi lan pan glywodd hi hyn. Crist, o'dd golwg ffwrch arni 'ddi.

'Wel, to cut a long story short, es i sha thre 'da hi, twel. O'dd lle bach nêt 'da hi, 'ed. Ta prun ni, dynnodd hi ei ffroc bant lan stâr, a dyna lle o'dd hi'n sefyll 'na mewn basque, suspenders, high heels—the works. Ond, g'randa ar hyn, nawr. Pan o'n i'n treial cal 'y nillad bant, wedodd hi: "My husband was a collier, too. We were only married six months before his accident. You're the spitting image of my Evan, you are."

'Wedi'ny, dynnodd hi bâr o shgidie hoelion mowr a helmet mas o'r cwpwrdd—dim bwl shit, nawr—o'dd y fenyw'n moyn i mi ei chnychu 'ddi 'da'r shgidie am fy nhrâd a'r helmet ar 'y mhen! Wir i ti, nawr, ha ha ha!

'A shwd ma' pethe 'da ti te, 'rhen bwrs?'

'Ddim yn dda iawn.'

'Beth sy'n bod?'

'Ma'r blydi hogan 'na'n fy haslo i.'

'Pa fenyw?'

'Honna sy'n byw i fyny staer.'

'Beth, honne 'da'r crwt bach 'na?'

'Ia.'

'Ond o'n i'n clywed bo' ti'n cal lle da fanna?'

'Dyna 'di'r broblam, neith hi ddim gadal llonydd i mi. Ma' hi isio i mi fynd yna bob munud. Ma' hi'n blydi niwsans. Mi alwodd yr hen foi bach 'na fi'n dadi bora 'ma.'

'O Crist. Gas e Gethin dipyn o broblem 'da honne, 'ed.'

'Do?'

'Do, do.'

'Ond neith hi ddim sbio arno fo rŵan.'

'So she turned her attentions to you. It's time you ran, boi bach. It's time to scarper. G'randa. . . '

Mi aeth o i'w boced, tynnu dau oriad allan, a'u rhoi nhw ar y bwrdd.

'. . . der draw i aros i'n fflat i am sbel fach, os ti'n moyn. Ma' digon o le 'na. Galli di ddefnyddio'r stafell 'na ble o't ti'n aros o'r blân.'

'Diolch i chdi. Fasa hynny'n grêt.'

'Croeso.'

''Nes i fwynhau *The Ginger Man.*'

'On'd yw e'n dda? Ma' digon o lyfre erill 'na i ti. 'Na ti, achan, alli di gal amser a llonydd i'w darllen nhw. Bues i ar y dôl am chwe mis unweth, a 'na'r cyfan wnes i o'dd darllen llyfre. Der draw unryw bryd ti'n moyn. Sa' i 'na lot o'r amser, twel.'

Tra o'n i'n mynd rownd y siopa yn ystod y bora, roedd fy nghwd i wedi dechra cosi'n ddiawledig. Ro'n i'n meddwl mai'r holl chwysu oedd yn achosi hynny. Ond roedd y cosi'n waeth rŵan. Ma' hi'n amsar i mi gael bàth neu rywbeth, medda fi wrtha fi'n hun.

34

Erbyn y bora wedyn, roedd y cosi'n gythreulig. Wrth grafu, mi sylwais i fod 'na lympia bach calad yn sownd ar ambell i gedor. Mi dynnais i un i ffwrdd a'i osod o ar y glustog, er mwyn cael ei sdydio fo. Duw a'n gwaredo. . . roedd y diawl peth yn symud. . . roedd o'n fyw! Wedyn, mi dynnais i un arall, a'i wasgu o rhwng fy mys a 'mawd. O, Mam bach. . . be' uffarn 'di'r rhein?

Mi wisgais i fy nhrôns a rhedeg i stafell Gethin; roedd o'n gorwedd yn ei wely efo ffag yn ei geg.

'Oes 'na chwain yn y tŷ 'ma?' medda fi.

'Pam?'

'Ma' genna i leifstoc ar fy nghedors, a ma' nhw'n cosi'n ddiawledig.'

'Odyn nhw'n ticlo yn dy wallt di?'

'Be' ti'n feddwl?'

'Odyn nhw'n ticlo yn dy wallt di?'

'Nac'dyn.'

'O dan dy geseilie di?'

'Nac'dyn.'

'Ti wedi dala'r crabs, achan.'

'Y be'?'

'Y crabs—crab-lice. Ma'r rheina'n sexually transmitted. Ble ti wedi bod, Bleddyn?'

'Wel. . . ym. . . i fyny staer a. . . ym efo un hogan arall. Dyna'r cwbwl.'

'Shwd fath o fenyw yw'r llall?'

'Be' ti'n feddwl?'
'I ti'n gwbod yn iawn beth wi'n feddwl.'
'Wel, dydi hi ddim yn blydi hwran, mi dduda i gymaint â hynna wrtha chdi.'
'Mwy na thebyg bo' ti wedi dala nhw off honna lan stâr. Ges i nhw 'ed.'
'Pryd?'
'Chydig o wythnose'n ôl. Nagw i'n hollol siŵr, cofia, ond wi'n credu taw hi o'dd hi. 'Na pam wi heb fod 'na ers sbel. Wedes i wrtho hi, twel, ond o'dd hi'n palli credi. Ath hi'n grac y jiawl, a rhoddodd hi fonclust i fi.'
'Blydi rôl on. Pam na fasa chdi wedi deud wrtha i, 'ta, y llwdwn gwirion?'
''Nes i ddim meddwl.'
'Be' ddiawl dwi'n mynd i neud rŵan?'
'Bydd raid i ti fynd i'r Department of Genitourinary Disease—outpatients yn y Royal Infirmary. Neu alle' ti fynd i weld y meddyg, os ti'n moyn. Byddan nhw'n rhoi stwff i ti, ti'n rhoi hwnnw arno, a byddan nhw'n farw mewn chydig orie.'
'O lle ddoth y ddynas docdor 'na pan o'n i'n sâl?'
'Sa'i'n cofio. Wi'n credu taw o Cathays Terrace rywle ddath hi.'
Mi wisgais i fy nghôt ar f'union, a chychwyn am y drws.
'Bleddyn?'
'Ia?'
'Ti'n gwybod beth yw'r height of dexterity?'
'Nac'dw.'
'A man with boxing gloves on picking crabs off his balls. Ha ha ha, ha ha ha ha!'
Mi gerddais i at ei wely o a dal fy nwrn chwith o flaen ei wyneb o.
'Wy' ti'n gweld hwn?' medda fi.

'Odw,' medda fo.

'Wel, hwn sy'n beryg,' medda fi, cyn rhoi cleran iddo fo ar dop ei gorun efo'r dwrn arall.

'Aw! Roddodd hwnna lo's i fi.'

'Dim hannar digon o blydi loes,' medda fi. 'Gwranda, dwi'n mynd i aros i le Steve am sbelan. Cym di gythral o ofal na ddeudi di ddim lle ydw i wrth honna fyny staer, na'r un hogan arall chwaith. Dwi 'di cal llond bol arnyn nhw. Wy' ti'n dalld?'

'Odw.'

'Gwna'n siŵr 'i fod o'n treiddio i mewn i dy frên di.'

35

Mi fuo'n rhaid i mi aros am dri chwartar awr cyn cael mynd i weld y docdor. Mi fues i'n taeru efo rhyw risepshionisd am ddeg munud. Roedd hi isio gwybod be' oedd yn bod arna i ac ro'n inna'n gwrthod deud. Mi ddechreuodd hi gael y myll wedyn, am nad oeddwn i wedi dŵad â fy medical card efo fi.

Tra o'n i'n aros yn y wêting rŵm, ro'n i'n trio dychmygu be' oedd yn bod ar bawb oedd yn ista yno; roeddan nhw i gyd yn edrych yn iach fel cnau. Traffarth intyrnal, mae'n siŵr, medda fi wrtha fi'n hun.

Mi gofiais i fel y bydda'r hen ddynas yn fy ngyrru i i gael ffisig melyn gan Docdor Francis, pan fydda genna i annwyd erstalwm. Roedd y wêting rŵm ym mharlwr ffrynt Jane Pugh, Llys Hedd, a'r syrjyri yn y cefn. Roedd y lle'n llawn bob amsar. Ond, am ryw reswm, roedd hi wastad yn dawel fel y bedd yno. Roedd pobol oedd yn arfer malu cachu a hel sgandal ffwl sbîd efo'i gilydd ar y llan yn dawel ar y naw pan oeddan nhw yn y syrjyri—hynny ydi, pawb ond Jac Berfa.

Mi fydda Jac yn arfar dŵad i mewn a deud: 'Wedi dŵad i gal syrinjio fy nghlustia ydw i. Be' sy'n bod arna' chi i gyd?. . . Be' sy'n bod arna' chi, Musus Jôs?' 'Dim byd 'nelo fo â chi, Jac Robats.' 'O, dudwch chi. Traffath i lawr staer, ma'n siŵr.

Gafodd Catherine 'cw husdyrecdymi, wchi, do'n duwcs. Fuodd hi'n giami ar y naw amsar hynny. Be' sy'n bod arna' chdi, Brian?' ''Di cal annwyd, Jac.' 'O deud ti. 'Di cal gwely tamp yn rhwla, ma'n siŵr. Sud ma'ch faricos-fêns chi, Hilda bach?. . .'

Jac Sais bach ifanc efo acan bosh oedd y docdor. Wedi i mi egluro be' oedd y broblem, mi sgwennodd o bryscripshiwn i mi, a deud:

'I suggest you take a bath before rubbing the cream onto the infected area.'

Wedyn, mi ofynnodd o: 'Are you promiscuous, Mr Williams, or do you have a steady partner?'

Wyddwn i ddim be' ddiawl roedd o'n feddwl.

'Ym. . . y. . . e bit of bôth, ai sypôs.'

'Yes. . . I see. . . well, I suggest you inform your partner, or whoever you've had sex with recently, that you've been infected, because there's a probability that she, or they, or whoever, is also infected—if you know what I mean. Am I making myself clear, Mr Williams?'

'Ies, docdor.'

'Now then, Mr Williams. Are you registered with a practice in this area?'

'Pardyn?'

'Have you got a G.P. here in Cardiff?'

'E G.P.?'

'A doctor.'

'O! No.'

'Would you like to register with us then?'

'Ies, O.K. dden, meit as wel.'

Ma' hwn cyn waethed â Robats Shwrin, medda fi wrtha fi'n hun. Mae o isio cael pawb ar ei lyfra.

'Right then. If you could give me the name and address of your previous G.P., so that we can contact him in order to obtain your medical record.'

Arglwydd mawr! Be oeddwn i wedi ei neud? Beth

tasa fo'n deud wrth Docdor Francis 'mod i wedi cael y blydi crabs 'ma? A beth tasa hwnnw'n deud wrth yr hen ddynas? Roedd rhaid i mi ddeud celwydd.

'Ym. . . Docdor Fran. . . ym. . . Docdor Finli, no no. . . Docdor Fisher, Snowdyn Fiw, Llanbedydd-iol, Meirionethsheiyr.'

Mi luchiodd o'i feiro ar y bwrdd, a deud:

'There's no such place'.

Sut ddiawl oedd hwn yn gwybod nad oedd 'na ffashiwn le â Llanbedyddiol?

'Ai beg ior pardyn?'

'Meirionethshire. There's no such place.'

'Wel of côrs dder is iw blydi. . . wel off côrs dder is, Docdor. Ai was bred and born dder.'

'No no,' medda fo, gan ysgwyd ei ben. 'It's Gwynedd now.'

Be' haru chdi'r lembo? Doedd y diawl gwirion ddim chwartar call!

'Gwynedd? Gwynedd? Hy! Hi was in ddy sêm clas as mi in sgŵl!'

Mi edrychodd o arna i yn union fel 'tai o'n cysidro a ddyla fo fynd i nôl strêtjacet ai peidio.

'I'm afraid you don't understand, Mr Williams. It's all been changed. There were thirteen counties in Wales, but now there's only eight. Those are Gwent, South Glamorgan, Mid Glamorgan, West Glamorgan, Dyfed, Powys, Clwyd and Gwynedd. Gwynedd encorporates the old Meirionethshire, Anglesey and Caernarvonshire.'

Rêal Jaco, medda fi wrtha fi'n hun, isio dangos ei hun, isio gneud i mi deimlo'n fach.

'Dyro Gwynedd i lawr 'ta, y coc oen uffar,' medda fi.

'Pardon?' medda fo.

'Iw betyr pwt Gwynedd down. Has ôl ddis got

enithing tw do widd Dafydd Elwyn?' medda fi.
'Who?'
'Hafynt iw hyrd of Dafydd Elwyn?'
'No, I'm afraid I haven't.'
'Ai'm syrpreised, Docdor. Thanciw feri mytsh and gwd bai.'

Mi es i i'r bàth ar ôl mynd adra, a rhoi'r stwff arna i. Pan dynnais i 'nhrôns yn fflat Steve y noson honno, roedd 'na ddwsina o'r sglyfaethod bach yn gorwedd yn farw ynddo fo. Mi es i â'r trôns allan i'r iard gefn, tywallt petrol leitar drosto fo, a'i roi o ar dân. Mi grimetiais i'r ffernols bach i gyd, jesd rhag ofn iddyn nhw ffeindio eu ffordd yn ôl. Damia'r Karen 'na, medda fi wrtha fi'n hun. Wedyn mi trawodd fi'n sydyn—y drugaredd fawr! Oeddwn, roeddwn i wedi gadael rhywbeth yn fflat Nerys! Druan o'r gryduras fach. Doedd wiw i mi fynd yn agos ati hi byth eto, chwaith.

36

Ro'n i wrth fy modd yn fflat Steve. Roedd ganddo fo stof lân, neis yno, ac mi ddechreuais i neud rhyw fymryn o lobscows ac ati i mi fy hun, a chael hwyl reit dda arni. Rhyw fynd a dŵad oedd Steve. Weithia roedd o yno am dridia, ac wedyn yn diflannu am dridia arall. Doedd hynny'n poeni dim arna i. Ro'n i'n ddigon hapus ar fy mhen fy hun. Ond mi newidiodd pob dim yn ddigon sydyn un bora dydd Iau.

Ro'n i wedi mynd i seinio 'mlaen i'r lle dôl. Ar ôl imi arwyddo'r darn papur a'i hwffio fo o dan y gwydr, dyma'r boi yn deud wrtha i am fynd drwodd i'r stafell arall. Roedd 'na rywun isio gair efo fi.

Fel pob tro arall, mi fuo'n rhaid i mi aros am dros hannar awr cyn cael gweld neb. Mae pobol y dôl wastad yn gneud i chi aros, achos maen nhw isio rhoi ar ddeall i chi eich bod chi ar eu trugaredd nhw. Mae genna' chi drwy'r dydd i ista ar eich tin, ond maen nhw'n bobol brysur iawn. Mi rydach chi'n westar, maen nhw'n bwysig.

Roedd 'na tua hannar dwsin o ferchaid efo babis yn ista wrth fy ymyl i. Roeddan nhw'n cael eu galw at y cowntar bob yn un ac un. Ro'n i'n medru clywed amball un yn pledio'n daer efo'r offishials, un arall yn gweiddi ac yn rhegi, un arall yn crio. Roedd y babis a'u hwyneba budur yn sgrechian nerth esgyrn eu penna, ac yn strymantio.

Roedd Nain Tyrpag wastad yn sôn am Aneurin Bevan, ac yn canmol y Welffer Stêt, ond roedd pobol yn dal i ddiodda. Oeddan, myn diawl, roeddan nhw'n diodda. Pam ddiawl na fysan nhw'n agor caffi bach yn fan hyn, medda fi wrtha fi'n hun, neu'n chwara rhyw chydig o records neu rywbeth, er mwyn gneud y lle ryw chydig yn llai dipresing, ac er mwyn sgafnu chydig o'r baich oedd ar sgwydda pobol?

'Bleddyn Williams. Cubicle number three,' medda rhyw lais. Roedd 'na ddynas ganol oed yn aros amdana i yn y cwt. Wedi iddi hi ofyn i mi arwyddo rhyw bapura oedd yn deud 'mod i wirioneddol isio job, dyma hi'n gofyn:

'Do you speak Welsh, Mr Williams?'

Pam ddiawl oedd hi isio gwybod a oeddwn i'n medru siarad iaith y nefoedd? Oedd 'na gatsh? Roedd yn well i mi ddeud y gwir, rhag ofn i mi landio mewn rhyw gachu nad oeddwn i ddim isio bod ynddo fo.

'Ies,' medda fi.

'And I see from the forms here that you're an experienced gardener.'

'Ies.'

'Well,' medda hi efo gwên deg a gwenwyn dani, 'I think this vacancy will suit you down to the ground. O! Dear me, I didn't intend that to be a pun.'

Mi gliriodd y gotsan ei gwddw ddwywaith. 'Mrs Maelor Jones of Tŷ Draw Road, Roath Park, needs a gardener-handyman. It's a full-time post for two months but there is the possibility of it becoming a permanent part-time position. I suggest that you go and see her this afternoon. She'll be in between one and four. If, for some reason, you do not present yourself at the interview, we'll have to seriously consider your eligibility for claiming unemployment benefit. Good day, Mr Williams.'

Chefais i ddim cyfle i ddeud 'run gair. Roedd yr ast wedi hel ei phapura ac wedi'i gleuo hi, cyn i'r ffaith 'mod i'n gorfod mynd am intyrfiw suddo i mewn i 'mrên i. Mi fydda'n rhaid i mi neud bôls go iawn o'r intyrfiw. Fydda hynny ddim yn anodd. Ro'n i wedi gneud hynny laweroedd o weithia o'r blaen, ac ro'n i wedi cael hwyl reit dda arni bob tro.

37

Doedd Tŷ Draw Road ddim yn bell o dŷ Steve. Ar y ffordd yno, ro'n i'n trio dychmygu sut fath o ddynas oedd Mrs Maelor Jones. Roedd o'n enw rhyfadd, ond falla mai enw ei gŵr hi oedd o. Mae 'na lot o bobol, yn enwedig pobol cachu posh, yn rhoi enw'r gŵr i'r wraig. Mi alwodd rhywun yr hen ddynas yn Musus Harri Williams ryw dro, ac mi gafodd hi'r myll yn syth bin. 'Ma' genna i f'enw fy hun,' medda hi, 'ac nid Harri ydi hwnnw.'

Tybad sut un oedd Maelor Jones? Tybad a oedd hi'n beth handi?

Mi gefais i sioc pan welais i'r stryd. Roeddan nhw'n dai mawr, posh—'run fath â tai manijyrs chwaral. Dydi hon ddim yn brin o ryw geiniog neu ddwy, medda fi wrtha fi'n hun, ac mi fwyta i'n het os oes ganddi hi ddos o'r crabs.

Mi ddaeth 'na ddynas ganol oed efo bronna mawr at y drws. Doedd 'na ddim arlliw o wên ar ei gwep hi.

'Ai'f bîn sent ofyr ffrom ddi dôl. . . ffrom ddi emploiment offis,' medda fi.

'Well i chi ddŵad i mewn,' medda hi. 'Mrs Maelor Jones ydw i. A chitha?'

'Y. . . Bleddyn. Bleddyn Williams.'

Roedd y lle fel palas. Mi fetsa Merchaid y Wawr ddŵad ar fistyri-tŵr i fan hyn, medda fi wrtha fi'n hun; gofyn i mi ddŵad â chompas efo fi os ca' i'r job. Wrth i ni gerdded drwy'r tŷ, mi glywais i rywun yn gweiddi o un o'r stafelloedd: 'Pwy sy' 'na rŵan, Magi?' Mi roddodd Mrs Maelor Jones ei phen rownd y drws, a deud: 'Ddo i ata' chi yn y munud, Mam,' cyn cau'r drws yn glep. 'Mi awn ni drwodd i'r cefn,' medda hi'n sych.

Roedd y tŷ yn anferth, ond doedd 'na ddim digon o le i chi newid eich meddwl yn y gegin gefn; roedd hi'n llai na chegin fach tŷ ni.

'Mi ddweda i wrtha' chi be' sydd angen ei neud, yn gynta,' medda hi. Roedd hi'n siarad 'run fath â titshyr. 'Wedyn, mi gewch chi ddeud tipyn o'ch hanes wrtha i. Mi awn ni allan i'r ardd.'

Roedd hi'n gwisgo sgert dynn oedd yn dangos siâp ei thin nobl hi'n berffaith. Groinar go iawn, medda fi wrtha fi'n hun, wrth ei dilyn hi a'i snwyro hi, fel rhyw hen gi bach.

'Mae yna lot o waith i'w neud yma,' medda hi, gan blethu ei breichia o dan ei bronna. 'Ma'r lle 'ma wedi mynd ar ei wartha ers pan fuo Maelor farw. Mae 'na amball i ddrws a ffenast sydd angan côt o baent. Mae angan rhoi rhyw fath o drefn ar y "lawn" 'ma, ac mi faswn i'n licio cael rocyri yn y pen pella acw. Mae angan torri rhai o'r coed 'ma, a phrwnio'r lleill. Yda' chi'n meddwl y medrwch chi neud y gwaith?'

'Wel. . . ma' 'na lot o waith i un dyn. . . '

Ro'n i isio gwybod faint o gyflog roedd hi'n ei gynnig. Mi sbiodd hi i fyny i'r awyr, a deud:

'Roedd ganddo fo feddwl y byd o'r ardd 'ma, wyddoch chi.'

'Pwy?' medda fi.

'Maelor—y gŵr. Roedd o yma bob dydd Sadwrn, o fora gwyn tan nos. Y fo blannodd y llwyni a'r coed 'ma. Roedd ganddo fo feddwl y byd o'r "Autumn Sunlight", y "Golden Showers", y "Swan Lake", a'r "Molly McGredy".'

Doedd genna i ddim syniad am be' oedd hi'n fwydro. Mi ddigwyddais i droi 'mhen a gweld hen wreigan yn gwenu a chodi ei llaw arna i o'r ffenast. Mi godais inna fy llaw yn ôl arni hi. Mi welodd Maelor Jones fi'n gneud hynny, a dyma hi'n deud: 'Esgusodwch fi am funud'.

Mi fartshiodd hi i gyfeiriad y tŷ, a deud rhywbeth fel: 'Dwi 'di deud a deud wrtha' chi am aros yn y "sitting room" pan mae 'na fisitors yma. Rŵan, doswch yn ôl yno'r funud 'ma.'

'Mam ydi hi,' medda hi, pan ddaeth hi'n ôl. 'Ma' hi'n aros efo fi ers tro rŵan. Ma' hi'n ffwndro braidd.'

Roedd hi'n bnawn braf o wanwyn, ac mi feddyliais i y bysa hi'n reit braf cael gweithio yn yr ardd 'ma am ryw sbelan fach, er bod y ddynas 'ma'n dipyn o deyrn. 'Reit,' medda hi, 'dyna sy' angan ei neud. Awn ni'n ôl i'r tŷ rŵan, er mwyn i chi gael gweld y contract.'

Contract, myn cebyst i! Bleddyn Williams 'di'r enw, mi fuo bron i mi â deud wrthi hi, dim Alfred McAlpine.

'Roedd Maelor yn gredwr cry mewn gneud pob dim yn daclus ac yn drefnus. Mi fyddai o wedi gneud contract, felly mi es i i weld y twrna er mwyn cael gneud hon, fel bod yr amoda i gyd ar ddu a gwyn. . .'

Roedd 'na lwyth o gachu rwtsh ar y contract bondigrybwyll, ond roedd o'n gyflog da. Roedd o'n llawar gwell nag ro'n i wedi meddwl y bysa fo ac roedd o'n fwy na'r dôl.

'. . . ro'n i am gael Cymro, wyddoch chi. Mi fasa hynny wedi plesio Maelor, hefyd. Mae 'na un neu ddau o hogia ifanc o'r cyffinia 'ma wedi dangos diddordeb, ond rhai digon gwantan ydyn nhw, ar y cyfan. Mi ryda' chi wedi arfar efo gwaith calad, yn dydach?'

'O yndw, Musus Mael. . . y Musus Jôs. Ma' nhw wedi'n magu ni'n galad ar y mynyddoedd 'na, wchi.'

Ro'n i awydd y job rŵan, awydd y pres cwrw, ac awydd sbio ar ei thin hi am ryw chydig o wythnosa.'

'Ia, dyna o'n i'n feddwl,' medda hi, a sbio ar fy mreichia i a'n sgwydda i. 'Yda' chi'n aelod yng Nghaerdydd 'ma?'

'Pardyn?'

'Yda' chi'n aelod mewn capal yma?'

'Ym. . . nac'dw, ddim eto.'

'Wel, mae 'na groeso i chi ddŵad i Minni Street.'

'Pa enwad ydyn nhw, 'lly?'

'Annibynwyr.'

'O! Methodusd ydw i.'

'Mae'n siŵr mai i'r Crwys yr ewch chi, felly?'

'Ia. . . y. . . dyna fo, y Crwys.'

Roedd 'na bỳb o'r enw Crwys, hefyd. Oedd hon yn trio insiniwetio fod Methodustiaid Caerdydd i gyd yn alcs? Ma'r enwada 'ma i gyd yng ngyddfa ei gilydd yng Nghaerdydd 'ma, cyn waethed bob tamad ag y maen nhw ym mhobman arall, medda fi wrtha fi'n hun. Mae'n rhaid fod 'na olwg ffwndrus arna i, achos mi ddywedodd hi:

'Mae 'na ddau Grwys, wyddoch chi: eisteddfa'r gwatwarwyr ydi un, a thŷ'r Arglwydd ydi'r llall. Os na fyddwch chi'n hapus yno, mae 'na groeso i chi ddŵad atan ni. Mae 'na griw da o ieuenctid yn addoli efo ni, ac maen nhw'n weithgar iawn, chware teg iddyn nhw.'

'Tewch â deud.' Ma' nhw'n haeddu biscedan bob un, medda fi wrtha fi'n hun.

'Yda' chi'n hapus efo'r contract?'

'Yndw.'

'Ac mae genna' chi ddiddordeb mewn dŵad yma i weithio?'

'Oes.'

'Fedrwch chi ddechra bora ddydd Llun?'

'Medra.'

'Dyna ni, 'ta. Wela ni chi fora dydd Llun.'

Mi hebryngodd hi fi drwy'r tŷ heb gynnig na phanad o de na choffi, na dim byd arall imi. Roedd Nain Tyrpag wastad yn deud na chewch chi ddim byd am ddim gen bobol gyfoethog—dyna sut ma'r diawlad wedi gneud eu pres. Roedd hi wedi bod yn slafio i ryw hen gnawas o ddynas gyfoethog pan oedd hi'n hogan fach. Bob amsar cinio, roedd y ddynas yn ei gyrru hi i ferwi wy. Wedyn, roedd hi'n deud wrthi hi am ei dorri o'n ddau, fel bod y ddwy ohonyn nhw'n cael hannar bob un i ginio. Roedd y ddynas cyn deneued â styllan. Roedd Nain wedi gweld mwy o gig ar bensal bwtshiar, medda hi.

Pan oeddan ni'n cerdded ar hyd y pasej, mi glywais i'r hen wraig yn gweiddi: 'Ydi o'n mynd rŵan, Magi?' Ddaru Mrs Maelor Jones ddim ateb.

Ar ôl cerdded i lawr y llwybr, mi droiais i i edrych ar y tŷ. Roedd yr hen wraig yn codi ei llaw yn y ffenast. Mi godais inna fy llaw yn ôl arni hi.

38

Ddaru Mrs Maelor Jones ddim deud 'bora da' pan es i at y drws ffrynt fora dydd Llun, dim ond: 'Dowch rownd i'r cefn o hyn ymlaen. Mi adawa i'r giât ar agor i chi.'

Mi es i ati i weithio fel lladd nadroedd—e niw brysh swîps clîn, chadal y Sais. Ro'n i'n edrych ymlaen at gael gweld y lle ar ei newydd wedd.

Tuag un o'r gloch, mi eisteddais i ar bwt o wal i fwyta fy sandwijis caws a sôs brown. Ar ôl imi sglaffio'r un gynta, mi ddaeth Maelor i'r golwg a 'ngwadd i i mewn i'r tŷ am banad o de.

Wedi iddi hi dywallt y dŵr dros ddail te'r India, mi aeth hi i'r cwpwrdd, estyn tua hannar dwsin o dabledi, a'u rhoi nhw ar un o'r soseri. Mi dywalldodd hi dair panad, a mynd â'r un efo'r tabledi arni drwodd i'w mam.

Wedyn mi ddaeth hi'n ôl, a setlo yn ei chadair efo copi o'r *Woman's Weekly*. Roedd hi'n dangos dipyn o'i choes, felly mi gymerais i f'amser efo'r banad, rhag ofn imi gael tshians i weld rhywbeth gwerth ei weld. Roedd hi'n croesi ac yn dad-groesi ei choesa bob yn ail a pheidio, ac fel roedd y munuda'n mynd heibio, roedd y sgert yn codi'n uwch ac yn uwch.

Roedd ganddi hi bâr o goesa uffernol o neis, 'run fath â choesa gwraig Huws y gweinidog, ac Anti Dil. Roedd hi'n gwisgo teits, ac mi welwn i fymryn o nicyr gwyn ym mhen draw'r twnnel. Mi ges i ddiawl o godiad. Roedd y blydi peth yn plycio 'run fath â ma' sgodyn yn gneud ar ôl i chi ei ddal o a rhoi clec iddo fo. Yna, mi ddigwyddais i godi fy ngolygon, ac yno ar y wal uwch ei phen hi roedd y geiria:

CHRIST is the HEAD
of this house,
THE UNSEEN GUEST
at every meal,
THE SILENT LISTENER
to every conversation.

Mae'n rhaid ei bod hi wedi 'ngweld i'n sbio ar y peth achos mi ddywedodd hi: 'Maelor frodiodd hwnna pan oedd o'n wael yn yr ysbyty. Roedd ei ffydd o'n gadarn tan y diwedd. "Mi a ymdrechais ymdrech deg, mi a redais fy ngyrfa, mi a gedwais fy ffydd". Dyna'r geiria sy' ar ei garreg fedd o. Mi fydda fo'n dda o beth i chi gofio'r geiria yna sy' ar y wal tra byddwch chi yn y tŷ yma. Ma' hon yn aelwyd grefyddol.'

Mi aeth y codiad i lawr ac i lawr, 'run fath â teiar car ar ôl i rywun ollwng y gwynt o'i pherfadd hi.

Pan oeddwn i'n yfad fy llowciad ola, mi gododd hi o'i chadair, tynnu bocs bach del allan o'i handbag, a dechra ymbincio yn y drych oedd uwchben y lle tân. 'Diolch yn fawr i chi,' medda fi, a chychwyn am y drws.

'Bleddyn?' medda hi.

'Ia?' medda fi.

'Mi faswn i'n licio picio allan am chydig y pnawn 'ma. Fedrwch chi gadw llygad ar Mam? Mi fydda i wedi cloi'r drws ffrynt efo'r mortis-lock. Y cwbwl fydd rhaid i chi neud fydd gwatshiad na ddaw hi ddim allan drwy'r cefn. Chewch chi ddim traffath efo hi. Fydda i ddim yn hir.'

'Iawn,' medda fi.

Be' ddiawl oedd y job 'ma? Garddwr 'ta warden cartra hen bobol?

Ryw chydig wedi tri o'r gloch, mi glywais i sŵn y drws cefn yn bangio, a phwy gerddodd i fyny'r llwybr efo'i handbag ar ei braich ond yr hen wraig. Roedd hi'n reit sionc.

''Di hwnna'n bridd go lew, 'machgan i?'

'Yndi, mae o'n ddi-fai, cofiwch.'

Un fach fyr, esgyrnog, oedd hi, a rhyw chydig o grwm yn ei chefn hi. Roedd hi'n gwasgu pedwar bys un llaw efo'r llaw arall. Roedd 'na fywyd yn ei llygid hi; doedd hon ddim wedi suro efo'r blynyddoedd.

'Un o'r topia 'cw 'da' chi yfyd, ia?'

'Ia, o Sir Feirionnydd.'

'Un o foch Môn ydw i.'

'Tewch â deud.'

'Ia. Fasa'n dda gen i taswn i yno rŵan 'te, ia, rargian ia. Do'n i'm isio dŵad yma'n lle cynta, wchi, nag o'n ne'n tad. Dim ond fod y merchaid 'cw wedi cymryd yn 'u penna na fedrwn i ddim gneud fy hun 'te, ia. A finna wedi medru gneud yn iawn ar hyd y blynyddodd. At Cassie, yr hyna 'cw, o'n i isio mynd, wchi—yn Clynnog ma' hi. Ond ro'dd genni hi ormod ar ei phlât, ac mi fuo'n rhaid i mi ddŵad i fan hyn at hon. Welas i ddim ffashiwn le yn fy myw rioed—rhyw hen geir yn mynd ac yn mynd yn dragwyddol. Ma' hi 'di mynd allan i rwla, ac wedi cloi'r drws ffrynt. Ddeudodd hi rwbath wrtha' chi, 'machgan i?'

'Naddo wir, cofiwch.'

'Hy! Jiarffas, yfyd! Dwi'n cal gweld neb na·dim, nac yn cal mynd i nunlla. Ma' genni hi gwilidd ohona i, wchi. Oes, ne'n tad. Ma' hi'n meddwl 'i bod hi'n rhywun rŵan, ar ôl iddi hi gal yr hen le 'ma. Ond ma' hi 'di'i magu ar yr un bron â'r

merchaid erill 'cw, ac wedi cal yr un swcwr, yfyd. Dwn i'm be' sy' arni hi, wir. . .'

Mi eisteddais i i lawr, a rowlio ffag. Roedd hi'n amlwg nad oedd yr hen gryduras ddim yn cael clust gan neb.

'. . . Ma' hi'n fy nghloi i yn yr hen siting rŵm 'na bob tro pan ddaw 'na rywun i'r tŷ, wchi. Dwi'm yn cal mynd i nunlla, chwaith. Ma' 'na gaffis bach del ffor' hyn, ond eith hi ddim i gaffi dros 'i chrogi. Fuas i rioed mor ddigalon, cofiwch, naddo wir. Ddim ers pan gollis i Ned.'

Mi ddechreuodd ei llygid hi ddyfrio. Roedd isio sbio i mewn i ben Maelor am dynnu'r hen fusus allan o'i chynefin a dŵad â hi i ryw ddymp fel Caerdydd.

Roedd hi'n wanwyn. Ro'n i wedi bod yn gwrando ar yr adar bach yn canu bob bora ers pythefnos, ac roedd hynny wedi codi awydd mawr arna i i fynd adra. Doeddwn i ddim wedi bod adra o gwbwl er pan oeddwn i wedi dŵad yma. Roedd genna i ormod o ofn mynd, rhag ofn i mi beidio dŵad yn ôl. Ro'n i isio aros yng Nghaerdydd am cyn hirad ag y medrwn i. Ro'n i isio dangos i'r hogia, i'r hen ddyn a'r hen ddynas, i Yncl Dic, ac i bawb arall 'mod i'n medru byw ar fy mhen fy hun, 'mod i'n foi annibynnol, 'mod i wedi gweld dipyn ar y byd. Ond ro'n i'n gwbod rywsut nad oedd 'na ddim dyfodol i mi yng Nghaerdydd. Doeddwn i ddim yn gwbod lle oedd fy nyfodol i. Roedd genna i hiraeth am bawb adra rŵan, wrth weld y dagra yn llygid yr hen wraig.

'Itshiwch befo,' medda fi. 'Mi a' i â chi i gaffi ryw bnawn, pan fydd hi wedi mynd allan.'

'Newch chi, 'ngwas i?'

'Gwnaf. Peidiwch â mynd yn rhy dipresd. Mi ddowch chi drwyddi rywsut, wchi.'

'O dof,' medda hi, a thrio sythu ei sgwydda.

'Fydda i fawr o dro yn deud wrth hon faint sy' 'na tan Sul. Hen sguthan frwnt 'di hi, wchi, yn fy nghloi i yn yr hen siting rŵm 'na, a mynnu 'mod i'n mynd i'r hen fàth 'na rownd y rîl, a hynny ym mherfeddion nos weithia. Priodi'r deryn er mwyn y nyth ddaru hon, wchi.' Mi droiodd hi i gyfeiriad y tŷ, a phwyntio'i bys. 'Dyna i chi gnu y ddafad farw, os gwelsoch chi un rioed.'

Roedd hi'n chwerthin i fyny ei llawes rŵan.

'Pwy oedd y Maelor Jones 'ma 'dwch?' medda fi.

'Dyn heb orffan crasu, 'te 'ngwas i. Ia, sbryddach o ddyn, ond dyn efo digon o fodd, yfyd. Fuo dim rhaid iddo fo weithio fawr ddim rioed, am wn i. Mi ddoth hon i lawr i fan hyn i nyrsio ar ôl gneud ei thrêning yn Lerpwl. Wedyn, mi a'th hi ar y district, a dyna sut ddaru hi'i gwarfod o, am wn i. Ro'dd o mewn oed pan ddaru nhw briodi. Chafon nhw ddim plant. Ia, llancas 'di hon, wchi. Ma' hi 'di cymryd yn llyfr penshiwn i a phob dim. . . '

Ar hynny mi ddaeth Maelor i'r golwg, a gweiddi: 'Mam, dowch i'r tŷ 'ma y funud 'ma.' Mi sbiodd yr hen fusus arna i, cyn dechra rowlio godra ei chardigan, a chychwyn am y tŷ yn benisal. Mi feddyliais i am Nain druan. Dim ond clust i wrando a rhyw chydig o gysur mae hen bobol ei angan.

Mi ddaeth yr hen swynog sych allan o'r tŷ wedyn, mewn diawl o hŷff. Roedd hi'n lluchio ei chylcha ac yn fy nghyhuddo i o hyn a'r llall. Chymerais i fawr o sylw ohoni hi. Mi orffennais i fy ngwaith, a'i chychwyn hi am adra. Doeddwn i ddim yn mynd i weithio i'r ast yma am hir iawn. Roedd hynny'n saff.

39

Roedd gan Maelor Jones ddigon o dafod i ddau bâr o ddannedd. Doedd 'na'r un diwrnod yn mynd heibio pan nad oedd hi'n arthio arna i ar gownt rywbeth neu'i gilydd. Ac fel aeth yr wythnosa heibio, mi waethygodd petha'n ddirfawr.

Ro'n i wedi gorffan y gwaith yn yr ardd ymhen tua pythefnos. Roedd y lle'n edrych yn reit ddel—cystal bob tamaid â Gerddi Bodnant. Wedyn, mi ges i ordors i fynd i weithio i'r tŷ i neud, yng ngeiria Maelor, 'general spring clean'.

Fysa waeth imi fod adra yn gneud jobsys cachu i'r hen bobol ddim. Ro'n i'n gorfod symud dodrefn, tynnu llwch, polishio, a hwfro milltiroedd o garpedi. I neud petha'n waeth, roedd yr hen fusus yn mynnu lluchio saim ar y tân bob munud, a chreu helynt rhwng ei merch a fi.

Un diwrnod, pan o'n i'n llnau'r brasys ar fwrdd y gegin gefn, mi ddaeth yr hen fusus i mewn. Doedd hi ddim wedi sylwi fod Maelor yn llercian y tu ôl i'r drws, neu falla ei bod hi, ond mi ddywedodd hi: 'Wel y nefi wen, dydi hi rioed wedi'ch gorfodi chi i rwbio rhein! Peidiwch â mynd yn bric pwdin iddi, 'ngwas i, ma'r geiliogas mor ddig'wilydd â thalcian tarw. Mi fasa hon yn mynd â'r siwgwr o'ch te chi mewn dau funud.'

Mi aeth hi'n ddiawl o daerans. Mi anelodd Maelor am y cwpwrdd lle'r oedd y tabledi, ac wedyn fy ngyrru i i'r siop cemist i gael rhagor ohonyn nhw. Ro'n i'n dalld y gêm yn iawn. Roedd hi isio cael gwared ohona i tra oedd hi'n eu stwffio nhw i lawr corn cwac ei mam. Ro'n i wedi sylwi fod Maelor ei hun yn llyncu lot o dabledi hefyd.

Mi ddywedodd yr hogan yn y siop cemist y bysa'n rhaid i mi aros am chwartar awr cyn cael y prys-cripshiwn. Mi es i i gaffi, gan feddwl cael rhyw banad fach o goffi tra o'n i'n disgwyl. Ond roedd y lle'n llawn joc, a fedrwn i yn fy myw dynnu sylw'r merchaid oedd yn gweithio yno. Mi benderfynais i fynd am beint.

Doeddwn i ddim wedi cael peint pnawn ers wythnosa. Ro'n i'n teimlo 'mod i'n haeddu un, o dan yr amgylchiada. Yn y pỳb mi welais i foi ro'n i wedi bod yn chwara dârts efo fo yn y Tavistock. Mi aeth un yn ddau; a dau yn dri.

Roedd Maelor yn aros amdana i wrth y giât ffrynt pan gyrhaeddais i'n ôl. Mi fyswn i'n taeru 'mod i wedi gweld fflama a mwg yn dŵad allan o'i cheg fawr hi.

'Lle ar wynab y ddaear 'da' chi 'di bod?' medda hi.

'Yn siop cemist,' medda fi.

'Be'? Yr holl oria 'ma? Be' fuoch chi'n neud yna?'

'Aros am y tablets. O'dd y mashîn 'di torri.'

'Be' haru chi, 'dwch? Pwy fashîn, yn enw'r drefn?'

'Y mashîn sy'n gneud y tablets.'

Mi driais i fynd heibio iddi, gan feddwl mynd i orffen y brasys, ond mi afaelodd hi yn fy mraich i.

'Rhoswch chi lle ryda' chi,' medda hi. 'Ma' 'na ogla diod arna' chi. ''Da' chi 'di bod yn yfad cwrw, yn do?'

'Tun o shandi,' medda fi.

'Peidiwch â meiddio deud c'lwydda wrtha i. Ddaw 'na'r un o'ch traed chi i mewn i'r tŷ 'ma efo ogla diod ar eich gwynt chi. Rŵan, doswch adra, a dowch yn ôl bora fory, pan fyddwch chi wedi sobri.'

'Sud 'ma'ch mam?' medda fi.

Atebodd hi ddim, dim ond troi ar ei sowdwl, a chau'r drws yn glep ar ei hôl. Ro'n i'n difaru na fyswn i wedi codi dau fys ar yr hen fuwch. Mi fyswn i'n falch o fod wedi cael y sac. Doeddwn i ddim yn medru ei jacio hi, neu fyswn i ddim yn cael 'run sentan gan y dôl am chwech wythnos.

40

Fuodd 'na ddim llawar o Gymraeg rhwng Maelor a fi ar ôl y diwrnod hwnnw. Roedd hi wastad yn sbio arna i fel taswn i newydd lusgo fy hun allan o dan rhyw garrag, neu fel taswn i'n drewi fel byrgun. Ac roedd hi byth a beunydd yn mwmblian rhywbeth o dan ei gwynt am ymddygiad cywilyddus Cymry ifanc, yn slotian ac yn ofera yn y brifddinas. Ro'n i'n cael y teimlad y bysa hi'n reit falch taswn i'n rhoi fy nôtis i mewn, ond mi benderfynais i y byswn i'n glynu wrthi fel gelan—jesd o ran ymyrraeth. Doedd hi ddim yn mynd i gael y gora arna i.

Ro'n i'n ennill hefyd. Ro'n i'n gneud pob dim yn iawn, ac mi ddechreuodd hi redeg allan o jobsys i'w rhoi i mi. Ro'n i'n gwybod fod y contract yn tynnu tua'i derfyn, ond doeddwn i ddim yn siŵr iawn pryd ro'n i i fod i orffan.

Un bora, mi fuo'n rhaid i mi ista wrth fwrdd y gegin gefn tra oedd hi'n mynd rownd a rownd yr ardd a'r tŷ yn chwilio am rywbeth i mi ei neud. Dwi 'di dy gael di'r hen ast, medda fi wrtha fi'n hun. Ma'r lle 'ma cyn lanad ag opyreting theatr.

'Ma'r dolenni bras ar y drysa 'ma angan eu polishio,' medda Maelor.

'Iawn,' medda fi. Mi es i i nôl y Brasso, a dechra mynd ati i'w rhwbio nhw, 'run fath â dyn o'i go.

Ymhen rhyw hannar awr, roedd pob un wan jac

ohonyn nhw'n sgleinio fel ceillia ci. 'Dwi 'di gorffan,' medda fi, yn wên o glust i glust.

'O,' medda hi, cyn dechra cerdded o gwmpas y tŷ unwaith eto.

Be' wy' ti'n mynd i ofyn i mi neud rŵan? Gofyn i mi roi bàth i'r hen fusus? Gofyn i mi roi shampŵ i'r gwair ar y 'lawn'? Gofyn i mi roi fflashings newydd rownd y corn simdda? 'Ta gofyn i mi wna i bigo dy drwyn di?

'Doswch i nôl y stepladyr o'r garej,' medda hi, ar ôl iddi fod yn meddwl am sbelan. 'Wedyn, doswch i dynnu'r net-curtains i lawr o ffenast fy llofft i. Ma' nhw angen eu golchi.'

Mi ddois i ar draws yr hen fusus pan oeddwn i ar fy ffordd i fyny staer. Roedd hi yn ei chwman braidd, a'i llaw ar ei chefn.

'Sud yda' chi heddiw?' medda fi.

'Go lew 'te, 'ngwas i,' medda hi'n ddigalon. ''Rhen gricia lladd ŷd 'ma, wchi. Mae o arna i ers blynyddodd. Ma' hon wedi cal rhwbath i mi gymryd ato fo, ond biti na fasa 'na giwar i hiraeth, 'te.'

Doeddwn i rioed wedi bod yn llofft Maelor o'r blaen. Doedd hi ddim wedi gofyn i mi fynd i llnau i'r fan honno. Unwaith es i i mewn yno, mi ddechreuais i smera o gwmpas y lle. Fedrwn i ddim peidio rywsut. Roedd rhaid i mi gael gwybod be oedd yn y ciarpad bag.

Mi agorais i ryw chydig o ddrorsys, ond doedd 'na fawr o ddim byd diddorol ynddyn nhw. Mi godais i'r stepladyr. Roedd 'na gwpwrdd bach arall yn ymyl y ffenast. Mi agorais i'r drôr ucha. Ymhlith y nicyrs a'r geriach roedd 'na botal o jin a phacad o sigaréts. Wel, myn uffar i! Sôn am fod yn ddauwynebog, sôn am fod yn rhagrithiol, sôn am ddybyl-standards!

Ro'n i ar fin rhoi fy llaw ar rywbeth oedd yn debyg i wy plastig pan deimlais i ryw ias oer yn mynd i lawr fy asgwrn cefn i. Roedd Maelor yn sefyll yn y drws. Mi hwffiais i'r drôr yn ôl i mewn yn ara deg ac yn ddistaw bach efo fy mhen-glin.

'Be' gebyst 'da' chi'n neud?' medda hi. Roedd 'na olwg wyllt arni hi. Roedd 'na olwg y diawl ar ei gwallt hi hefyd, yn union fel tasa hi neu rywun wedi bod yn trio tynnu cudynna ohono fo allan o'u gwraidd.

'Meddwl,' medda fi.

'Meddwl? Meddwl? Meddwl am be'?'

'Meddwl stafall mor neis ydi hon.'

'Tynnwch y cyrtans 'na, a dowch i lawr ar unwaith.'

Mi dynnais i'r cyrtans yn go sydyn, a mynd i lawr staer. Roedd hi wrthi'n llyncu rhyw dabledi. 'Steddwch yn fanna,' medda hi, a phwyntio at y bwrdd. Wedyn mi dynnodd hi bres allan o waled, a'u rhoi nhw mewn amlen wen.

'Dyma'ch cyflog chi'n llawn tan ddiwadd yr wsnos,' medda hi, a rhoi'r amlen o fy mlaen i ar y bwrdd. 'Fasa unrhyw wahaniath genna' chi taswn i'n gofyn i chi orffan heddiw?'

'Wel. . . ym. . . pryd ydw i i fod i orffan?'

'Diwadd wsnos nesa, ond fydda i ddim yma wsnos nesa'. Dwi'n mynd i ffwr' ar fy ngwylia.'

Mi eisteddodd hi i lawr gyferbyn â fi, a rhwbio ei thalcian efo'i llaw. 'Dwi jesd â dŵad i ben fy nhennyn, rhwng bob dim.'

Roedd 'na olwg felly arni hi, hefyd. Roedd genna i fymryn o biti drosti hi. Doedd y tŷ mawr, crand, digonadd o bres, a'r capal a rhyw lol felly, ddim yn bob dim, chwaith.

'O? 'Da' chi'n mynd i rwla neis?'

'Dwi'n mynd ar bererindod i Israel efo chwiorydd

y capal.'

Ar bererindod i Israel! Wel, ar f'enaid i! I be' oedd hi isio mynd i rywle fel yna? Pam na fysa hi'n mynd i'r Bahamas neu rywle, neu i ryw lycshyri hotel, a chael rhywun i dendio arni hi hand and ffwt, ddydd a nos? Mi gofiais i'n sydyn am yr hen fusus. Doedd hi rioed yn bwriadu mynd â honno efo hi? Hei, hold on am funud bach, falla ei bod hi am ei rhoi hi mewn rhyw gartra hen betha yng Nghaerdydd, lle doedd 'na ddim o'r hen sdejars na neb arall yn medru gair o Gymraeg. Mi fysa'r profiad yn siŵr o ladd yr hen dlawd.

'Be' 'da' chi'n mynd i neud efo'ch mam?' medda fi, fel bwlad allan o wn.

'Fy musnas i ydi hynny,' medda hi. 'Ond, os fydd o'n gysur i chi gal gwbod, ma' hi'n mynd at fy chwaer i Clynnog, ac mi fydd hi'n aros yno, hyfyd. Camgymeriad oedd dŵad â hi yma yn y lle cynta. Ond gofalwch chi na ddeudwch chi'r un gair wrthi hi. Wel, yda' chi'n fodlon gorffan heddiw?'

'Yndw,' medda fi. 'Mi a' i i hel fy mhetha.'

Tra oedd Maelor yn plygu'r cyrtans a'u rhoi nhw yn y sinc, mi es i i chwilio am yr hen fusus. Roedd hi'n ista yn y ffenast yn y stafell ffrynt, yn sbio ar y traffig yn mynd heibio, a'i handbag ar ei braich.

'Wedi dŵad i ddeud ta-ta,' medda fi.

'Dowcs, 'da' chi'n gorffan yn fuan heddiw. Faint o'r gloch ydi hi, 'dwch?'

'Dwi'n gorffan heddiw,' medda fi. 'Fydda i ddim yn dŵad yn ôl eto.'

'Wel, tewch â deud. Mi fydd hi'n dlawd arna i am sgwrs, rŵan.'

'Itshiwch befo,' medda fi. 'Mi fyddwch chi yn Clynnog cyn diwadd yr wsnos 'ma, ac mi ryda' chi'n cal aros yno wedyn, yfyd. Ma' hi newydd ddeud wrtha i, rŵan.'

'I Glynnog? At Cassie?'
'Ia, ia.'
'Diar mi, wel dyna lwc, 'ngwas i. O'n i'n meddwl 'mod i'n mynd i farw yn yr hen le 'ma, cofiwch.'
Mi agorodd hi'r bag, a dechra turio ynddo fo. 'Dacia, 'sgenna i'r un ddima i'w rhoi i chi cofiwch.' Wedyn, mi afaelodd hi mewn llyfr oedd wrth droed y gadair. 'Hwdwch, cymrwch hwn.'
Mi roddodd hi gopi o *Telynegion Maes a Môr* gan Eifion Wyn yn fy llaw i. Doeddwn i ddim yn cîn iawn ar Eifion Wyn, er 'mod i'n gwybod ei fod o'n dŵad o Port.
'Diolch yn fawr iawn i chi,' medda fi. 'Cymrwch ofal.'
'Da bo'ch chi, 'ngwas i.'
Mi es i at y drws ffrynt, a gweiddi: 'Ta-ta, Magi Jôs, dwi'n mynd rŵan.'
'Dyna ni 'ta,' medda hi.
Pan gyrhaeddais i'r giât, roedd y ddwy ohonyn nhw'n sefyll wrth y drws. Mi glywais i'r hen fusus yn gofyn: 'Y chdi sy'n mynd â fi i fyny i Glynnog, Magi? 'Ta ydi Cassie'n dŵad i lawr i fy nôl i?'
Mi godais i fy llaw, a rhoi traed arni.

Mi es i i ista ar fainc yn y parc oedd wrth ymyl y tŷ, er mwyn trio rhoi rhyw fath o drefn ar fy meddylia. Roedd 'na bobol yn mynd â'u cŵn am dro, a chriw o hogia'n chwara ffwtbol. Mi agorais i'r llyfr, a dechra darllan. . .

Gwyn dy fyd di, rug y mynydd,
  Gwyn dy fyd o ŵydd y dref;
Er dy fwyn mae haul a chwmwl,
  Gwlith y wawr a sêr y nef. . .

Gwyn dy fyd yr hen fusus, hefyd. Mi gerddais i i gyfeiriad tŷ Steve, yn dow-dow ac yn dipresd.

41

Roedd Steve wrthi'n rhoi ei fagia yn y car.
'Lle ti'n mynd?' medda fi.
'Wi'n gorffod mynd ar gwrs arall. Lan i Sheffield tro hyn.'
'Ma' genna i chwaer yn blismonas yn Sheffield yn rhwla.'
'Yn beth?'
'Plismonas—polîswman.'
'Jiawch! Falle gaf fi fy aresto ganddi hi!'
'Falla wir, ond ma' hi'n ddiawl o beth hyll.'
'Beth sy'n bod arno ti, Bleddyn? So' ti'n edrych yn hapus iawn. Shwd ma'r job yn mynd? Ti wedi rhoi ffwrchad i'r fenyw 'na, 'to?'
'Newydd orffan pnawn 'ma.'
'Beth? Y sac?'
'Na, dim cweit.'
'I ti'n ôl-reit?'
'Yndw.'
'Ti'n siŵr?'
'Yndw yndw.'
'Anyway, rhaid i fi fod ar fy ffordd, nawr. Awn ni i gyd mas am beint pan ddo i'n ôl—ti, O'Neill a finne.'
'Ia, iawn.'
'So long, Bleddyn.'
'Hwyl, Steve.'
Roedd ei lygid o'n goch. Roedd o ar y dôp rownd

y cloc. Mi daniodd o'r injan, a sgrialu i lawr y ffordd.

Roedd genna i gnegwarth o Foroccan yn fy nhun baco—digon i neud three-skinner. Roedd y smôc yn dda. Mi glywais i lais Yncl Dic yn deud: 'Cofia rŵan, os cei di lond bol yn y Caerdydd 'na, a chditha ddim isio mynd yn ôl at dy fam a dy dad, ma' 'na groeso i chdi aros yn fan hyn'. Na, fydda hynny ddim yn iawn chwaith rywsut.

Mi gerddais i i'r ciosg oedd ar waelod y stryd, a dechra deialu'r rhifa. . . 07667. . . Mi roddais i'r risifyr yn ôl yn ei le. Ro'n i'n gwybod be' fydda'r cwestiyna: Pam bo' chdi isio dŵad adra, rŵan? Be' wy' ti 'di neud? Wy' ti mewn rhyw drwbwl? Be' sy' 'di mynd yn rong? Wy' ti 'di cal job bellach? Pam dwy' ti ddim wedi ffônio ers wsnosa?. . . Na, mi fysa hi'n well i mi gyrraedd yno heb ddeud dim byd ymlaen llaw, jesd landio ar y stepan drws ryw ddiwrnod.

Mi es i yn f'ôl i'r fflat, mynd yn syth i mewn i'r ciando, ac aros yno am dridia.

42

Doedd genna i ddim awydd mynd i'r lle dôl i ddeud wrthyn nhw 'mod i'n 'unemployed' unwaith eto—neu'n 'unemployable', fel roedd yr hen ddyn yn arfer deud. Doedd genna i ddim mynadd i fynd drw'r holl straffîg unwaith eto.

Mi ddechreuais i fynd i slotian i wahanol bŷbs tuag un o'r gloch bob pnawn. Ond roedd hi'n ddiflas gwrando ar y dynion oedd wastad yn ista yn yr un lle wrth y bar ym mhob pŷb, yn deud yr un hen betha drosodd a throsodd, fel tiwn gron. Amball waith, pan oeddwn i wedi cael boliad go lew, ro'n i'n galw mewn ciosg, yn trio ffônio, ond yn methu bob tro.

Ro'n i'n disgwyl i rywbeth ddigwydd i mi yng Nghaerdydd, disgwyl i rywbeth fy nghadw i yno. Doeddwn i ddim isio mynd adra a gorfod gwrando ar bobol yn deud 'mod i wedi methu.

Ro'n i'n meddwl yn amal am yr holl bobol oedd wedi gadael yr hen le 'na dros y blynyddoedd, ac wedi mynd i ffwrdd i fyw. Roedd 'na rai yn dŵad adra bob haf a phob Dolig, a swancio a phrynu peint i bawb ym mar y Chwain. Roeddan nhw wedi galw'u plant yn Simon, Tracey, a Samantha. Roedd 'na deip arall, wedyn, oedd yn cael eu gwadd adra i siarad efo'r W.I., neu Ferchaid y Wawr, neu i roi anerchiad yn y capal, neu i arwain steddfod. Roeddan nhw wedi galw'u plant yn Cadfan, Meilir a

Meleri.

Doeddwn i ddim yn perthyn i'r un o'r ddau griw yna. Fydda 'na ddim llo pasgedig yn tŷ ni, chwaith. Roedd 'na rywun wedi rhoi draenen yn fy uwd.

43

Ro'n i'n colli Gethin, colli malu cachu efo fo, a cholli gwrando arno fo'n canu. Ro'n i'n gorfod sleifio i mewn i'r fflat yn Column Road unwaith bob wythnos i dalu'r rhent, ond doeddwn i ddim wedi ei weld o ers wythnosa. Ro'n i'n gadael y pres ar y bwrdd ac yn gobeithio i'r nefoedd na fyswn i ddim yn dŵad ar draws Karen.

Ro'n i'n falch o'i weld o un nos Iau pan ddaeth o draw i dŷ Steve. Roedd 'na olwg flinedig a dipresd arno fo hefyd.

'Shwd mai'n ceibo?' medda fo, wedi iddo fo ista i lawr.

'Go lew.'

'Beth sy'?'

'Dwi'n pisd-off efo bob dim, braidd.'

'Wi wedi cal llond bola 'ed. Shwd ma'r job yn mynd?'

'Dwi 'di gorffan, diolch i Dduw.'

'Dyw gwaith ddim yn siwto pawb, twel.'

'Nac'di.'

'Ble ma' fe Steve?'

'Yn Sheffield yn rhwla, ar gwrs neu rwbath.'

'O. Ma' llythyr 'da fi yn fan hyn i ti,' medda fo, a rhoi amlen wen yn fy llaw i. Roedd 'na sgwennu diarth arni. Mi rowliais i ffag a'i thanio cyn ei hagor hi.

'Annwyl Bleddyn, Be ffwc ydi dy hanes di. . . ' Mi

ddechreuais i chwerthin. Wedyn mi ddaeth 'na ddagra i'n llygid i.

'Beth sy'?' medda Gethin 'O's rhywbeth yn bod?'

'Llythyr gen Banjo,' medda fi. 'Ma' Sei wedi dŵad adra o Ostrelia. Ma' nhw'n cal parti welcym hôm yn y Chwain nos Sadwrn. . . '

Mi ddaeth 'na chwys oer drosta i i gyd. Doedd 'na ddim dyddiad ar y llythyr.

'Pryd ddoth hwn?' medda fi.

'Sa funed, nawr. . . ym. . . wi'n credu taw dydd Llun ddath e.'

'Pa ddiwrnod ydi hi heddiw?'

'Ym. . . wi'n credu taw dydd Iau yw hi, ie, dydd Iau yw hi, achos bues i'n seino mlân fore heddi.'

'Diwrnod ar ôl fory, 'lly.'

'Beth?'

'Diwrnod ar ôl fory ma'r parti—dydd Sadwrn.'

'Ti am fynd?'

'Yndw dwi'n meddwl. Dwi 'di cal digon ar y twll lle yma.'

'Wi'n moyn mynd i rywle 'ed. Ti'n gwbod beth? Wi wedi bod yn bysgo lawr yn y dre bron bob dydd ers bythdi tair w'thnos, a sa'i wedi galli ennill mwy nag arian ffags a cwrw. Ma' ffycyrs teit yn y lle hyn.'

'Lle fasa chdi'n licio mynd?'

'Mas i'r cyfandir, falle. Bues i mas 'na llynedd, twel. Wi'n credu a' i i rywle w'thnos nesa neu'r w'thnos wedi'ny. I ti am ddod 'nôl?'

'Dwn i'm.'

'Achos bydd raid i fi gal gwared â'r fflat, twel.'

'Ia, gwna hynny i'r diawl, 'ta. Ydi Karen yn dal o gwmpas?'

'Odi, odi. Ma' rhyw foi arall 'da hi nawr, 'to. Pryd

ti am fynd lan i'r Gogledd?'
'Fory.'
'Shwd ei di? Thymo?'
'Na, ma' 'na fŷs yn mynd tua hannar awr wedi deg bob bora dydd Gwenar, Sadwrn a Sul. Ma' genna i ddigon o bres a mae o'n llai o hasyl. Mi fedra i ddarllan llyfr neu rwbath.'
'O's want peint bach arno ti?'
'Oes, ma' genna i rwbath i'w ddathlu, rŵan.'
'Bant â ni, 'te. Y Claude?'
'Ia, i'r diawl.'
Roedd Gethin yn sôn am Ffrainc tra oeddan ni'n cerdded i'r Claude, deud lle mor dda oedd o, a bod 'na ddigonadd o win rhad a ballu i'w gael yno. Wedyn mi ddechreuodd o sôn am Lydaw, a sut oedd y Llydawyr yn perthyn i ni, 'run fath â'r Gwyddelod a'r Albanwyr. Mi welais i Lydäwr mewn Steddfod unwaith; roedd o'n chwil gachu rownd y rîl, ac yn drewi fel gingroen.
Ond doeddwn i ddim yn medru gwrando ar Gethin nac yn medru consyntretio ar yr hyn roedd o'n ddeud. Ro'n i'n meddwl am Sei ac am be' fysa ganddo fo i'w ddeud. Ro'n i'n meddwl am Banjo hefyd, a Milc Shêc, a Buwch—meddwl amdanan ni i gyd efo'n gilydd eto, yn cadw reiat. Roedd Banjo yn deud yn ei lythyr ei fod o a Milc yn dal i fod ar y dôl, ond doedd o ddim yn sôn am Buwch. Ro'n i'n teimlo fel 'tai 'na ryw lwyth wedi cael ei godi oddi ar fy sgwydda i. Doedd genna i ddim ofn mynd adra, rŵan. Roedd Sei yn dŵad adra hefyd; mi fyddan ni i gyd yn yr un cwch.
Mi ddaeth 'na ryw hogan roedd Gethin yn ei nabod i ista wrth yr un bwrdd â ni yn y Claude. Roedd hi'n siarad fel melin bupur. Doedd 'na ddim taw arni hi. Doedd Gethin ddim yn cymryd rhyw lawar o sylw ohoni ar y dechra, ond fel roedd y pein-

tia'n mynd i lawr, roedd o'n cymryd mwy a mwy o ddiddordeb ynddi hi.

'Pwy 'di hon efo'r gloch yn sownd wrth 'i thafod?' medda fi, pan aeth hi i'r lle chwech.

'O'dd hi'n arfar mynd mas 'da'r boi hyn o'n i'n ei nabod. Falle fod rhywbeth mlân fan hyn,' medda fo, a gwenu'n slei.

Ro'n i wedi meddwl y byswn i'n cael sgwrs reit dda efo Gethin y noson honno, yn enwedig gan mai honno oedd fy noson ola fi yng Nghaerdydd. Ond roedd hon wedi dŵad yno i ddifetha pob dim; ro'n i'n teimlo fel gwsberan ar goedan gnau.

'O's rhywbeth ti'n moyn o'r fflat?' medda Gethin wrth i'r ddynas ganu cloch last ordors.

'Na dwi'm yn meddwl. Be' sy' 'na, d'wad?'

'Fawr ddim sa'i'n credu. Es' ti â'r rhan fwya 'da ti i le Steve, yn do fe?'

'Do ma'n siŵr.' Mi driais i feddwl a oeddwn i wedi gadal rhywbeth yno. Roedd fy llyfr post i'n saff yn fy mhocad i. Hwnnw oedd y peth pwysica.

Mi aethon ni allan i'r nos i ysgwyd dwylo. Roedd-an ni'n sefyll o dan olau'r Claude. Roedd o'n f'atgoffa i o'r noson honno pan oeddwn i'n sefyll o flaen y Chwain efo Banjo, cyn i mi adael am Gaerdydd.

'Dishgwl ar ôl dy hunan, Bleddyn. Byddi di'n well off lan man'na dros yr haf. Nage'r ddinas yw'r lle i fod pan ma'r tywydd yn ffein, twel.'

'Pob hwyl i chdi, yfyd, lle bynnag fyddi di.'

'Wel, so long, Bleddyn.'

'Da bo' chdi, Gethin.'

'Goodbye,' medda'r hogan.

Mi gychwynnodd y ddau i fyny'r ffordd, law yn llaw. Mi waeddais i arno fo:

'Gethin?'

'Ie, Bleddyn?'

'Cym bwyll efo honna.'
'Ha ha!'
'A diolch i chdi.'
'Am beth?'
'Am bob dim.'
'Falch o gal dy nabod di.'
'A finna chditha.'

Mi gododd o'i law, a diflannu rownd y gornal. Mi groesais i'r ffordd, ac edrych yn ôl ar y fan lle'r oeddan ni wedi bod yn sefyll funud ynghynt.

Mi ddechreuais i ganu cân roedd Gethin yn ei chanu'n amal, wrth i mi gerdded i fyny'r rhiw. Ond doeddwn i ddim yn medru cofio'r geiria i gyd:

'Don't know where I'm goin',
Don't know where I've been,
But I haven't seen my baby
Since I don't know when. . .

Feelin' disconnected,
These blues are hard to kill,
Sweep them in the corner,
Put them in the bin. . .

All right, so you don't
Sympathize,
I don't expect that you should. . .

Gravel in my pockets
From the places I have been,
The souls on my shoes are paper thin.
Sand here in my pocket
From the place that I come from,
That's where I'm goin'
So I'll say so long.'

44

Chysgais i fawr ddim drwy'r nos. Ro'n i'n breuddwydio a deffro bob yn ail, ac yn meddwl am y siwrna adra.

Mi godais i am hannar awr wedi saith, hel fy mhetha, a'u rhoi nhw yn fy hafyrsac. Wedyn mi eisteddais i wrth y bwrdd a sgwennu nodyn i Steve. Malu cachu go iawn oedd y rhan fwya ohono fo, ond ro'n i'n trio deud 'mod i'n ddiolchgar iawn iddo fo am adael i mi aros yn ei fflat o, a gobeithio y byswn i'n ei weld o ryw dro eto.

Ro'n i'n smocio ffags un ar ôl y llall, ond roedd pob drag yn codi pwys arna i achos 'mod i mor ecseited. Mi adewais i'r goriada ar y bwrdd, a chau'r drws ar f'ôl. Roedd hi'n fora braf. Mi fysa'r wlad yn werth ei gweld ar ddiwrnod fel heddiw. Roedd o'n deimlad da, cael rhoi fy sach ar fy nghefn a chychwyn am y steshion.

Roedd 'na lot o gari-dyms yn crwydro ar hyd Newport Road. Mi ddaeth 'na Wyddal ata i, a gofyn i mi am bres panad. Mi roddais i hynny o newid mân oedd genna i yn fy mhoced iddo fo. 'Thank you kindly, sir,' medda fo. 'God bless you, now.'

Roedd y traffig yn rhuthro heibio a phobol yn sgrialu yma ac acw fel 'tai 'na ddim fory mewn bod.

Mi es i i brynu fy nhicad, cyn mynd i Asteys ac ordro bîns ar dost. Doedd genna i ddim stumog i'w

BANGOR

fwyta fo. Roedd 'na weino yn dŵad i mewn bob yn hyn a hyn i drio'i lwc, ond roedd y merchaid oedd yn gweithio yno'n eu hel nhw allan bob gafael. Mi ddaeth 'na hen ddynas ata i. Mi ddangosodd hi lun o hogan ifanc, dlos imi. Mi ddywedodd hi mai ei merch hi oedd yr hogan, ei bod hi wedi bod mewn coleg, a bod ganddi hi job dda. Wedyn, mi ofynnodd imi am bres. Roedd hi'n sefyll wrth fy mwrdd i, yn gwisgo anorac, teits tywyll, a phâr o bymps gwyn am ei thraed. Falla nad oedd hi ddim mor hen â hynny, ond roedd hi'n debycach i gant nag i hannar cant. Roedd ei choesa hi ar led ac ro'n i'n ama ei bod hi wedi cael rhyw afiechyd cythreulig yn y crugyn cedora. Doedd genna i ddim i'w gynnig iddi hi. Dymp oedd Caerdydd.

Mi godais i o'r bwrdd. Mi bwyntiodd y ddynas at y plât, cyn mynd i ista i'r sêt a dechra claddu gweddillion y bîns.

Roedd 'na rywbeth yn gartrefol yn sŵn injan diesel y bŷs, ac roedd 'na rywbeth yn annwyl yn y gair BANGOR uwchben y windscreen.

'Yda' ni'n gorfod newid yn rhwla?' medda fi wrth y dreifar.

'Sorry, mate,' medda fo, 'I'm not Welsh, I'm from Landydno.'

Mi orffennodd o fwyta ei frechdan ac yfad ei banad o'r gwpan blastig. Mi roddodd o'r peiriant yn ei gêr, a throi i'r chwith i gyfeiriad y Prince of Wales.

Ta-ta, Gethin, ta-ta, Steve, ta-ta, Nerys, ta-ta, Karen, ta-ta, Maelor Jones, a phob Twm, Dic, a Harri arall. . . Helô Sei, helô Banjo, helô Milc Shêc, helô Buwch, helô Yncl Dic, helô hen ddyn a hen ddynas, helô Nain. . .

Mwy o NOFELAU CYFOES o'r Lolfa—

CYW HAUL
Twm Miall **£3.95**
Nofel liwgar, wreiddiol am lencyndod mewn pentref gwledig ar ddechrau'r saithdegau. Braf yw cwmni'r hogia a chwrw'r *Chwain,* ond dyhead mawr Bleddyn yw rhyddid personol. . .
0 86243 169 7

UN PETH 'DI PRIODI, PETH ARALL 'DI BYW
Dafydd Huws **£4.95**
Mae Goronwy Jones, y Dyn Dwad, yn ôl—y tro hwn fel aelod aflwyddiannus o Ddosbarth Canol Cymraeg Caerdydd, ac awdur i S4C! Nofel gyfoes eithriadol o ddoniol yn berwi o olygfeydd ffarsaidd a dychan miniog.
0 86243 221 9

DIAWL Y WENALLT
Marcel Williams **£4.45**
Ym Mawrth 1953, arhosodd y Bardd Mawr, Dylan Thomas dros nos ym mhentref Cwmsylen. Nid yw'r pentrefwyr byth wedi maddau iddo am ddigwyddiadau'r noson—ac o'r diwedd daw cyfle iddynt ddial arno'n llawn. . .
0 86243 200 6

TORRI'N RHYDD
Eirwen Gwynn **£3.95**
Nofel am ddau efaill ond hefyd am y tyndra rhwng gyrfa a theulu, rhwng gwerthoedd traddodiadol a chyfoes, rhwng dyheadau personol a disgwyliadau cymdeithas barchus. . .
0 86243 216 2

Y CLOC TYWOD
(Athro) Gwyn Williams **£2.95**
Nofel anarferol am ddau Gymro—awyrenwr a morwr—sy'n crwydro anialwch gogledd Libya ddiwedd y rhyfel diwethaf, ac yn taro'n annisgwyl ar bedair o ferched. . .
0 86243 075 5

FORY DDAW
Shoned Wyn Jones **£3.25**
Nofel fywiog am flys, am ieuenctid, am briodasau amherffaith iawn, ac am gyfeillgarwch glos rhwng dwy ferch o gefndiroedd gwahanol.
0 86243 196 4

BLAS YR AFAL
Eifion Lloyd Jones **£3.95**
Ni freuddwydiodd Gruffydd Owen y byddai treulio un wythnos nefolaidd ym Mhorth y Gest yn effeithio ar batrwm gweddill ei fywyd. Cafodd funud o bleser benthyg, ond oes o fyw gyda'r atgof. . . a'r canlyniadau.
0 86243 201 4

YSTYRIWCH LILI
Mari Ellis **£2.45**
Nofel swynol a choeth yn portreadu merch ifanc ar ei thwf mewn ficerdy gwledig cyn yr Ail Ryfel Byd.
0 86243 164 6

YSGLYFAETH
Harri Pritchard Jones **£2.95**
Stori am berthynas hanner Cymro a hanner Gwyddeles danbaid yng nghanol berw dryslyd, gwaedlyd Gogledd Iwerddon. A fedr y ddau gariad osgoi mynd yn ysglyfaeth i'r rhyfel rhwng Lloegr ac Iwerddon?
0 86243 151 4

CWRT Y GŴR DRWG
Roy Lewis **£3.95**
Yn ôl y wasg, y mae'r Athro John Griffiths i fod wedi saethu ei hun mewn bwthyn unig ar ben clogwyn anghysbell ym Mhenrhyn Gŵyr ond mae Gwydion Rhys yn amau tystiolaeth y cwest. . .
0 86243 178 6

YMA O HYD
Angharad Tomos **£2.95**
Nofel am fywyd mewn carchar merched ac am deimladau cymysg, cignoeth Cymraes yn y fath le; enillodd wobr yr Academi Gymreig.
0 86243 106 9

Y LLOSGI
Robat Gruffudd **£3.95**
Nofel gyffrous, swmpus (288 tud.!) a 'hynod ffres ac arloesol' am Gymru heddiw. Enillydd Gwobr Goffa Daniel Owen.
0 86243 118 2

Y CARLWM
Judith Maro **£3.95**
Pwy yn hollol yw'r Pwyliad unig sy'n byw yn Nhyddyn Isaf, a beth yw ei gysylltiad â llofruddiaeth gwraig weddw yn Llundain? Nofel gyfoes yn llawn cyffro—a gwleidyddiaeth!
0 86243 110 7

DAN LEUAD LLŶN
Penri Jones **£2.45**
Nofel gyntaf—ac orau?!?—awdur *Jabas* yn rhoi darlun byw, cignoeth o ferw bywyd Cymry ifainc. Yn gefndir mae panorama hardd Llŷn ond y cefndir ehangach yw Cymru gaeth a'i holl densiynau.
0 86243 028 3

YN ANNWYL I MI
Heini Gruffudd **£3.45**
Nofel gyfoes am gariad a chasineb rhwng y rhywiau a rhwng Dwyrain a Gorllewin.
0 86243 114 X

Am restr gyflawn o'n holl gyhoeddiadau, mynna gopi o'n catalog newydd 80-tudalen. Anfonir yn rhad ac am ddim gyda throad y post. Hawlia dy gopi nawr!

Talybont, Ceredigion SY24 5HE
ffôn (0970 86) 304, ffacs 782